SIMENON-KRIMINALROMANE BAND 54

BRIEF AN MEINEN RICHTER

GEORGES SIMENON

BRIEF AN MEINEN
RICHTER

ROMAN

KIEPENHEUER & WITSCH

KÖLN · BERLIN

Titel der Originalausgabe
LETTRE À MON JUGE
© 1951 by Georges Simenon
Deutsch von Hansjürgen Wille
und Barbara Klau
Umschlag Werner Labbé

Juli 1961
Alle deutschsprachigen Rechte bei
Verlag Kiepenheuer & Witsch, Köln · Berlin
Gesamtherstellung Clausen & Bosse, Leck
Printed in Germany 1961

An Herrn Ernst Coméliau,
Untersuchungsrichter,
P a r i s 6
Rue de Seine 23

Mein Richter,
ein Mensch, ein einziger soll mich verstehen. Und ich
möchte, daß Sie dieser Mensch sind.
Wir haben in den Wochen der Untersuchung lange Stunden zusammen verbracht, aber da war es noch zu früh.
Sie waren ein Richter, Sie waren mein Richter, und es
hätte so ausgesehen, als ob ich versuchte, mich zu rechtfertigen. Daß es darum nicht geht, wissen Sie jetzt, nicht
wahr?
Ich weiß nicht, welchen Eindruck Sie gehabt haben, als
Sie in den Gerichtssaal gekommen sind. Der Saal ist
Ihnen natürlich vertraut. Ich erinnere mich noch sehr gut
daran, wie Sie hereinkamen. Ich saß dort ganz allein
zwischen zwei Wachtmeistern. Es war fünf Uhr nachmittags, und die Dämmerung legte sich wie eine Wolke
über den Saal.
Es war ein Journalist – ihr Tisch stand sehr nahe von
mir –, es war ein Journalist, sage ich, der sich als erster
bei seinem Nachbarn beklagt hat, daß er nicht mehr richtig sehen könne. Der Nachbar hat es dem nächsten gesagt, einem ziemlich schmuddeligen Alten mit zynischen
Augen, der schon seit einer Ewigkeit Gerichtsbericht-
erstatter zu sein scheint. Ich weiß nicht, ob ich mich irre,
aber ich glaube, er ist es gewesen, der in seiner Zeitung
geschrieben hat, ich wirkte wie ein auf der Lauer lie-
gendes Untier.
Ein wenig deswegen frage ich mich, welchen Eindruck
ich auf Sie gemacht habe. Unsere Bank – ich spreche von
der Anklagebank – ist so niedrig, daß nur unser Kopf
darüber hinausragt. Und so bin ich ganz von selber dazu
gekommen, mein Kinn auf die Hände zu stützen. Ich
habe ein breites, zu breites Gesicht, das leicht von

Schweiß glänzt. Aber warum von einem Untier sprechen? Damit die Leser etwas zu lachen haben? Aus Bosheit? Weil mein Kopf ihm nicht gefallen hat?

Das sind Einzelheiten, entschuldigen Sie. Sie haben keine Bedeutung. Der alte Journalist, dem Anwälte und Richter vertraut die Hand drücken, hat dem Präsidenten ein Zeichen gemacht. Dieser hat sich zu seinem Beisitzer zur Linken hinübergebeugt, und der hat sich zu dem nächsten hinübergebeugt. Und so hat der Befehl schließlich den Gerichtsdiener erreicht, und er hat die Lampen angezündet. Ich berichte Ihnen das nur, weil diese ganze Prozedur eine Weile meine Aufmerksamkeit gefangengenommen hat und weil sie mich daran erinnert, daß es mich als Jungen in der Kirche am meisten begeisterte, den Küster die Kerzen anzünden und löschen zu sehen. Kurz, in diesem Augenblick haben Sie sich, Ihre Aktentasche unterm Arm, Ihren Hut in der Hand, mit einer Miene, als ob Sie sich entschuldigen wollten, zwischen den Leuten, die sich am Eingang drängten, hindurchgezwängt. Ich scheine — einer meiner Anwälte hat es mir kummervoll versichert — während des größten Teils des Prozesses, eine sehr schlechte Figur gemacht zu haben. Aber man hat auch soviel Unsinn geredet und mit soviel Feierlichkeit! Ich hätte manchmal, sagt man, die Schulter gezuckt und sogar sarkastisch gelächelt. Eine Abendzeitung hat ein Foto von mir veröffentlicht, auf dem ich, wie sie betonte, lächelte, als gerade ein Zeuge eine besonders erschütternde Aussage machte.

»Das häßliche Lächeln des Angeklagten.«

Nun, manche sprechen auch vom häßlichen Lächeln Voltaires.

Sie sind hereingekommen. Ich hatte Sie bis dahin nur hinter Ihrem Schreibtisch gesehen. Ich habe an einen Chirurgen denken müssen, der wie ein Wirbelsturm ins Krankenhaus kommt, wo ihn seine Schüler und seine Assistenten erwarten.

Sie haben nicht sofort zu mir hingeblickt, und dabei

hatte ich ein so unbändiges Verlangen, Ihnen guten Tag zu sagen, einen menschlichen Kontakt mit Ihnen zu haben. Ist das so lächerlich? Ist das auch Zynismus, um das Wort zu gebrauchen, das man in bezug auf mich so häufig benutzt hat?

Fünf Wochen lang hatten wir uns nicht gesehen. In den beiden Monaten der Voruntersuchung hatten wir fast täglich ein Gespräch miteinander. Wissen Sie, daß selbst das Warten im Flur vor Ihrem Büro für mich eine Freude war? Und daß ich manchmal noch sehnsüchtig daran zurückdenke?

Ich sehe wieder die dunklen Türen der Richterzimmer, wie in einem Kloster aneinandergereiht, vor mir, die Ihre, die Bänke zwischen den Türen, den farblosen Fußboden des sich lang dahinziehenden Flurs. Ich saß zwischen meinen beiden Wachtmeistern, und auf der gleichen Bank und auf anderen Bänken saßen freie Menschen, männliche und weibliche Zeugen, und hier und dort auch ein paar Leute mit Handschellen.

Man blickte einander an. All das werde ich Ihnen erklären müssen, aber ich merke, daß es eine fast unmögliche Aufgabe ist. Sie wäre soviel leichter, wenn auch Sie getötet hätten!

Vierzig Jahre lang bin ich wie Sie, wie die anderen ein freier Mensch gewesen. Niemand ahnte, daß ich eines Tages das werden würde, was man einen Verbrecher nennt. Mit anderen Worten, ich bin sozusagen ein Gelegenheitsverbrecher.

Nun, als ich in Ihrem Flur die Zeugen beobachtete, Männer und Frauen, darunter Leute, die ich kannte, weil es Zeugen in meinem Prozeß waren, ähnelten unsere Blicke ungefähr denen, die zum Beispiel ein Mensch und ein Fisch wechseln können.

Dagegen entstand zwischen denen mit den Handschellen und mir unwillkürlich eine Art von Sympathie.

Mißverstehen Sie mich nicht. Ich werde wahrscheinlich später noch einmal darauf zurückkommen müssen. Ich habe weder Sympathie für das Verbrechen noch für den Mörder. Aber die anderen sind gar zu dumm.

Verzeihung, das stimmt auch nicht ganz.

Sie sind hereingekommen, und kurz vorher, während der Pause, nach der nicht endenwollenden Verlesung der Anklageschrift, hatte ich von Ihnen sprechen hören.

Indirekt. Sie kennen den kleinen Raum, in dem die Angeklagten vor den Sitzungen und während der Pausen warten. Das läßt an die Kulissen eines Theaters denken. Mich aber erinnert es noch mehr an ein Krankenhaus, an Angehörige, die auf das Ergebnis einer Operation warten. Man geht an ihnen vorüber — wir gehen an ihnen vorüber —, während man sich über seine kleinen Angelegenheiten unterhält und die Gummihandschuhe überstreift, nachdem man seine Zigarette ausgemacht hat.

»X? Der ist nach Angers berufen worden . . .«

»Hat er nicht sein Examen in Montpellier zur gleichen Zeit gemacht wie . . .?«

Ich saß dort auf einer glänzenden Bank wie die Angehörigen der Kranken. Anwälte kamen vorüber, rauchten ihre Zigarette zu Ende und blickten mich so vage an, ohne mich zu sehen, wie wir den Mann einer Patientin anblicken.

»Er soll ein ausgezeichneter Mann sein. Sein Vater war Richter in Caen. Soviel ich weiß, hat er eine der Blanchon-Töchter geheiratet . . .«

So sprach man von Ihnen. So wie ich vor einigen Monaten darüber gesprochen hätte, als wir noch der gleichen Welt angehörten. Wenn wir in jener Zeit in der gleichen Stadt gewohnt hätten, hätten wir uns zweimal wöchentlich an einem Bridgetisch getroffen. Ich hätte Sie ›mein lieber Richter‹, und Sie hätten mich ›mein lieber Doktor‹ genannt. Dann mit der Zeit:

»Mein lieber Coméliau . . .«

»Mein guter Alavoine . . .«

Wären wir wirklich Freunde geworden? Als ich von Ihnen sprechen hörte, habe ich mich das gefragt.

»Aber nein«, erwiderte der zweite Anwalt, »Sie ver-
wechseln ihn mit einem anderen Coméliau, seinem Vet-
ter Jules, der vor zwei Jahren von der Anwaltsliste in
Rouen gestrichen worden ist und der tatsächlich eine der
Blanchon-Töchter geheiratet hat . . . Dieser Coméliau
hat die Tochter eines Arztes geheiratet, dessen Name mir
entfallen ist . . .«
Wieder etwas, das uns einander näherbringt.
In La Roche-sur-Yon zähle ich einige Richter unter meinen Freunden. Ich habe vorher nie daran gedacht, Sie zu
fragen, ob es mit ihren Klienten so ist wie mit unseren
Patienten.
Wir haben fast sechs Wochen lang zusammengelebt, wenn
ich es so sagen darf. Ich weiß zwar, daß Sie in dieser
Zeit andere Sorgen hatten, sich mit anderen Leuten und
anderer Arbeit befassen mußten und daß Ihr persönli-
ches Leben weiterging, aber schließlich stellte ich für Sie,
wie gewisse Kranke für uns, den interessanten Fall dar.
Sie versuchten, zu verstehen, ich habe es wohl gemerkt.
Nicht nur als anständiger Richter, sondern als Mensch.
Eine Einzelheit unter anderen. Wir sprachen nie allein
miteinander, weil Ihr Schreiber und einer meiner Anwälte, fast immer Herr Gabriel, dabei waren. Sie kennen Ihr Arbeitszimmer besser als ich, das hohe Fenster,
das auf die Seine geht, mit den wie auf eine Leinwand
im Hintergrund gemalten Dächern des ›Samaritaine‹, die
Tür eines Schrankes, die oft halb offen stand, und in dem
sich ein Waschbecken und ein Handtuch befinden. (Ich
habe zu Hause das gleiche Waschbecken, in dem ich mir
zwischen zwei Untersuchungen die Hände wasche.)
Aber trotz Herrn Gabriels Bemühungen, stets die erste
Geige zu spielen, gab es oft Augenblicke, da ich das Gefühl hatte, wir seien allein oder hätten wie in einer
stummen Vereinbarung beschlossen, daß die anderen
nicht zählten.
Wir brauchten uns deswegen nicht zuzuzwinkern. Es genügte, sie zu vergessen.

Und dann die Telephonanrufe . . . Verzeihen Sie mir, daß ich davon spreche. Es geht mich nichts an. Aber haben Sie sich nicht über die intimsten Einzelheiten meines Lebens informiert? Und ist es darum nicht ganz natürlich, daß ich, was Sie betrifft, zu dem gleichen versucht war? Sie bekamen fünf- oder sechsmal, fast immer zur gleichen Zeit, gegen Ende des Verhörs, Anrufe, die Sie beunruhigten und verstimmten. Sie antworteten möglichst einsilbig. Sie sahen auf Ihre Uhr und setzten eine gleichgültige Miene auf.

»Nein . . . Erst in einer Stunde . . . Das ist unmöglich. . . Ja. . . Nein . . . Im Augenblick nicht . . .«

Einmal ist Ihnen entschlüpft:

»Nein, mein Kind . . .«

Und Sie sind rot geworden, mein Richter. Sie haben mich angeblickt, als ob ich allein zählte. Bei den anderen, oder vielmehr bei Herrn Gabriel, haben Sie sich mit banalen Worten entschuldigt.

»Verzeihen Sie die Unterbrechung, Herr Anwalt . . . Wo waren wir stehengeblieben?«

Es gibt so vieles, das ich verstanden habe, so vieles, von dem Sie wissen, daß ich es verstanden habe, weil ich, was Sie auch tun, Ihnen weit überlegen bin: ich habe getötet.

Lassen Sie mich Ihnen dafür danken, daß Sie in Ihrem Bericht die Ergebnisse Ihrer Untersuchung so einfach und unpathetisch zusammengefaßt haben, daß der Generalstaatsanwalt darüber ärgerlich gewesen ist, weil nach einem ihm entschlüpften Wort die Affäre in Ihrem Bericht wie eine Bagatelle wirkte.

Sie sehen, ich bin gut informiert. Ich weiß sogar, daß, als Sie eines Tages mit anderen Richtern über mich sprachen, man Sie gefragt hat:

»Können Sie, der die Gelegenheit gehabt hat, sich eingehend mit Alavoine zu beschäftigen, uns sagen, ob er Ihrer Meinung nach mit Überlegung gehandelt oder sein Verbrechen unter der Einwirkung einer starken Erregung begangen hat?«

Wie beklommen wäre ich gewesen, mein Richter, wenn ich dabei gewesen wäre! Ich hätte ein solches Verlangen gehabt, Ihnen die Antwort zu soufflieren, daß es mich am ganzen Körper gekribbelt hätte. Sie scheinen gezögert, zweimal oder dreimal gehustet zu haben. »Nach bestem Wissen und Gewissen glaube ich fest, daß Alavoine, was er auch sagen, was er auch vielleicht denken mag, in einem Augenblick verminderter Zurechnungsfähigkeit die Tat begangen hat.«

Nun, mein Richter, mir hat das Kummer bereitet. Ich habe wieder daran denken müssen, als ich Sie im Gerichtssaal sah. In meinem Blick war gewiß ein Vorwurf, denn als Sie ein wenig später hinausgegangen sind, haben Sie mich ein paar Sekunden lang angesehen. Sie haben die Augen gehoben. Vielleicht täusche ich mich: Sie schienen mich um Verzeihung zu bitten.

Wenn ich Ihren Blick richtig deute, sagte er:

»Ich habe mich ehrlich bemüht, alles zu verstehen. Jetzt ist es an anderen, ein Urteil über Sie zu fällen.«

Wir sollten uns nicht mehr wiedersehen. Wir werden uns sicherlich nie mehr wiedersehen. Tag für Tag werden Ihnen von den Wachtmeistern andere Verdächtige, andere mehr oder weniger intelligente oder leidenschaftliche Zeugen vorgeführt.

Trotz meiner Befriedigung, daß alles zu Ende ist, beneide ich sie, ich gestehe es Ihnen, weil sie noch die Möglichkeit haben, sich auszusprechen, während ich jetzt nur noch auf diesen Brief zählen kann, den Sie vielleicht, ohne ihn gelesen zu haben, in die Rubrik ›Dummes Zeug‹ einordnen werden.

Das wäre schade, mein Richter. Ich sage es Ihnen ohne Eitelkeit. Nicht nur schade für mich, sondern auch schade für Sie, weil ich Ihnen etwas enthüllen will, das Sie ahnen, etwas, das Sie nicht zugeben wollen und das Sie heimlich quält, etwas, von dem ich weiß, daß es wahr ist: Sie haben Angst.

Sie haben gerade vor dem Angst, was mir geschehen ist.

Sie haben Angst vor sich, vor einem gewissen Schwindel, der Sie ergreifen könnte, Angst vor einem Ekel, den Sie so langsam und unerbittlich wie eine Krankheit in sich entstehen fühlen.

Wir sind einander fast gleich, mein Richter.

Aber warum habe ich, da ich den Mut zur letzten Konsequenz gehabt habe, nicht den, zu versuchen, mich zu verstehen?

Während ich Ihnen schreibe, sehe ich wieder die drei Lampen mit dem grünen Schirm über dem Richtertisch vor mir; eine weitere über dem des Generalstaatsanwalts und am Pressetisch eine recht hübsche Journalistin, der in der zweiten Sitzung ein junger Kollege Bonbons mitbrachte. Großzügig bot sie allen rings um sie davon an, auch den Anwälten und mir.

Ich hatte einen ihrer Bonbons im Munde, als Sie gerade einen Blick auf die Zuhörer warfen.

Haben Sie die Gewohnheit, so als Zuschauer Prozessen beizuwohnen, deren Voruntersuchung Sie geführt haben? Ich bezweifle es. Der Flur vor Ihrem Arbeitszimmer leert sich nie. Ein Angeklagter ersetzt automatisch einen anderen Angeklagten.

Aber Sie sind noch zweimal gekommen. Sie waren bei der Urteilsverkündung dabei, und vielleicht Ihretwegen habe ich mich nicht hinreißen lassen.

»Was habe ich Ihnen gesagt!« rief ganz stolz Herr Gabriel seinen Kollegen zu, die ihm gratulierten. »Wenn mein Klient vernünftiger gewesen wäre, hätte ich seinen Freispruch erreicht ...«

Der Dummkopf! Der heitere, zufriedene Dummkopf!

Ein alter, bärtiger Anwalt in abgewetzter Robe hat sich erlaubt, zu entgegnen:

»Sachte, mein lieber Kollege! Mit einem Revolver, mit einem Messer notfalls auch. Aber mit den Händen nie und nimmer! Einen Freispruch unter diesen Umständen hat es in den Gerichtsannalen noch nie gegeben.«

Mit den Händen! Ist das nicht wunderbar? Genügte das

nicht, in Ihnen das Verlangen zu erwecken, sich auf diese Seite zu schlagen?

Mein Zellengenosse sieht mir beim Schreiben zu, ohne eine mit Ärger vermischte Bewunderung zu verbergen. Er ist ein starker Bursche von zwanzig Jahren, eine Art Stier mit rotem Gesicht und wässrigen Augen. Er ist erst seit einer knappen Woche bei mir. Vor ihm war hier ein armer melancholischer Kerl, der seine Tage damit verbrachte, an seinen Fingern zu ziehen, bis die Gelenke knackten. Mein Stier hat eine alte Budikerin dadurch getötet, daß er ihr eines Nachts, als er sich bei ihr eingeschlichen hatte, um ›Kasse zu machen‹, wie er schlicht sagt, mit einer Flasche den Schädel eingeschlagen hat.

Der Gerichtsvorsitzende scheint darüber sehr entrüstet gewesen zu sein.

»Mit einer Flasche den Schädel eingeschlagen . . . Schämen Sie sich nicht?«

Und er:

»Konnte ich ahnen, daß sie so dumm war und schreien würde? Ich mußte sie zum Schweigen bringen. Auf der Theke stand eine Flasche. Ich wußte nicht einmal, ob sie leer oder voll war . . .«

Er ist davon überzeugt, daß ich eine Wiederaufnahme meines Prozesses betreibe oder ein Gnadengesuch einreiche.

Was er nicht verstehen kann, obwohl er selber getötet hat, wenn auch durch einen Zufall — er hat fast recht: Es war eigentlich die Schuld der Alten —, was er nicht verstehen kann, ist, daß ich mir beharrlich zu beweisen versuche, daß ich mit Überlegung, in vollem Bewußtsein der Folgen gehandelt habe.

Hören Sie mein Richter? Mit Überlegung. Solange das nicht jemand einsieht, werde ich allein auf der Welt sein. In vollem Bewußtsein der Folgen!

Und Sie werden schließlich verstehen, es sei denn, es wäre Ihnen lieber, wenn man mich für verrückt, für ganz oder ein wenig verrückt, jedenfalls für unzurechnungsfähig oder vermindert zurechnungsfähig erklärt, weil Sie es, wie manche meiner Kollegen, als peinlich empfanden, mich auf der Anklagebank zu sehen.

Sie haben Gott sei Dank das Nachsehen gehabt. Noch heute, obwohl man glauben könnte, daß alles gesagt worden und alles zu Ende ist, beunruhigen Sie sich weiter, und ich nehme an, daß Kameraden und Freunde, ja auch meine Frau vielleicht und meine Mutter, Sie darin noch bestärken.

Immerhin hat man mich nach einem Monat noch nicht nach Fontevault gebracht, wo ich theoretisch meine Strafe verbüßen müßte. Man beobachtet mich. Man führt mich immer wieder ins Lazarett. Man stellt mir Haufen von Fragen, über die ich nur mitleidig lächeln kann. Der Direktor ist mehrmals persönlich gekommen, um mich durch das Guckloch zu belauern, und ich frage mich, ob sie nicht statt des Melancholikers den jungen Stier in meine Zelle gesteckt haben, um mich daran zu hindern, daß ich mir das Leben nehme.

Es ist gerade meine Ruhe, die sie erschreckt, das, was die Zeitungen meine Gewissenlosigkeit, meinen Zynismus genannt haben.

Ich bin ruhig, das stimmt, und dieser Brief muß Sie davon überzeugen. Obwohl ich nur ein einfacher praktischer Arzt bin, habe ich mich in der Psychiatrie so viel umtun können, daß ich sofort zu erkennen vermag, ob ein Brief von einem Irren geschrieben ist.

Um so schlimmer, mein Richter, wenn Sie das Gegenteil glauben. Es wäre für mich eine große Enttäuschung. Denn ich habe noch die Illusion, einen Freund zu besitzen, und dieser Freund, so seltsam das scheinen mag, sind Sie.

Ich habe Ihnen noch vieles zu sagen, jetzt, da man mich nicht mehr bezichtigen kann, ich versuchte um jeden Preis meinen Kopf zu retten, und da Herr Gabriel nicht mehr da ist, um mir jedesmal, wenn ich eine für sein Begreifen zu einfache Wahrheit ausspreche, auf den Fuß zu treten!

Wir sind beide Akademiker, gehören zu dem, was man in weniger entwickelten Ländern prätentiöser als *Intelligenzia* bezeichnet. Macht dieses Wort Sie nicht lachen? Nun, das spielt keine Rolle. Wir gehören also einem mehr oder weniger gebildeten Mittelstand an, der dem Lande Beamte, Ärzte, Anwälte, Richter, oft Abgeordnete, Senatoren und Minister liefert.

Soweit ich weiß, sind Sie mir aber mindestens um eine Generation voraus. Ihr Vater war schon Richter, während meiner noch Bauer war.

Sagen Sie nicht, das habe keine Bedeutung. Das wäre ein Irrtum von Ihnen. Es wäre so, wie wenn die Reichen sagen, das Geld sei ganz unwichtig im Leben.

Weil Sie welches haben! Aber wenn man keins hat? Hat es Ihnen auch daran gefehlt?

Eine Generation mehr oder weniger, das zählt, Sie haben den Beweis dafür. Sie haben schon das längliche Gesicht, die matte Haut, eine Ungezwungenheit im Benehmen, die meine Töchter erst gerade erwerben. Selbst Ihre Brille, Ihre kurzsichtigen Augen . . . Selbst die ruhige, gemessene Art, mit der Sie Ihre Brillengläser mit einem Lederläppchen putzen . . .

Wenn Sie nach La Roche-sur-Yon berufen worden wären, statt einen Posten in Paris zu erhalten, wären wir wahrscheinlich Kameraden geworden, wenn nicht gar Freunde, wie ich es Ihnen schon gesagt habe. Zweifellos hätten Sie mich aufrichtig als jemanden Ihresgleichen betrachtet, aber ich hätte Sie in meinem Inneren immer ein wenig beneidet. Protestieren Sie nicht. Blicken Sie um sich. Denken Sie an jene Ihrer Freunde, die wie ich der ersten aufsteigenden Generation angehören.

Wohin aufsteigen? frage ich mich. Aber lassen wir das. Sie sind in Caen geboren, und ich in Bourgneuf in der Vendée, einem Dorf unweit einer kleinen Stadt, die La Chataigneraie heißt.

Von Caen muß ich noch einmal mit Ihnen sprechen, denn diese Stadt ist für mich mit einer Erinnerung verknüpft, die ich seit einiger Zeit, seit meinem Verbrechen, um das Wort zu benutzen, als eine der wichtigsten meines Lebens betrachte.

Warum soll ich es Ihnen nicht gleich erzählen, da wir uns dann auf einem Boden bewegen, den Sie gut kennen? Ich bin an die zehn Mal in Caen gewesen, denn ich habe dort eine Tante, eine Schwester meines Vaters, die den Besitzer eines Porzellangeschäfts in der Rue Saint-Jean geheiratet hat. Sie kennen gewiß den Laden. Er liegt hundert Meter vom Hotel de France entfernt, dort, wo die Straßenbahn so dicht an das schmale Trottoir heranführt, daß die Passanten sich an die Häuser drängen müssen.

Jedesmal wenn ich in Caen war, regnete es. Und ich liebe den Regen Ihrer Stadt. Ich liebe ihn, weil er so fein, so sanft und leise ist, ich liebe ihn des silbrigen Dunstes wegen, den er über die Landschaft breitet, des Geheimnisses wegen, mit dem er in der Dämmerung die vorübergehenden Menschen, vor allem die Frauen umgibt.

Es war bei einem meiner ersten Besuche bei meiner Tante. Es war Abend, und alles glänzte vom Regen. Ich muß damals knapp sechzehn Jahre alt gewesen sein. An der Ecke der Rue Saint-Jean und einer anderen, deren Namen ich nicht weiß und in der keine Geschäfte sind, die darum also fast dunkel war, stand ein junges Mädchen. Sie hatte blondes Haar, das unter einem schwarzen Barett hervorlugte, und Regentropfen glitzerten in diesem Haar.

Die Straßenbahn kam vorüber mit ihrem dicken gelben, ganz feuchten Auge und den Reihen von Köpfen hinter den beschlagenen Scheiben. Ein Mann, ein junger Mann, sprang vom Trittbrett, genau vor dem Geschäft, in dem es Angelgeräte gibt.

Und alles geschah dann wie in einem Traum. Genau in

dem Augenblick, da er auf dem Gehsteig landete, legte die Hand des jungen Mädchens sich auf seinen Arm. Und die beiden verschwanden dann in der dunklen Straße, und ohne ein Wort zu sagen, haben sie sich in der ersten Haustür aneinander geschmiegt. Ich sah sie von fern, und mir war, als hätte ich einen Geschmack von fremdem Speichel im Mund.

Vielleicht dieser Erinnerungen wegen habe ich drei oder vier Jahre später, als ich schon Student war, in Caen es genauso machen wollen. So genau wie möglich jedenfalls. Aber ich sprang nicht von der Straßenbahn, und niemand erwartete mich.

Sie kennen natürlich die Brasserie Chandivert. Für mich ist es die schönste Frankreichs, außer einer in Epinal, in der ich verkehrte, als ich meinen Militärdienst ableistete. Links befindet sich der erleuchtete Eingang des Kinos. Rechts der große Raum, der in mehrere Abteilungen geteilt ist: die, in der man ißt, in der die Tische gedeckt sind, die, in der man trinkt und wo man Karten spielt, und schließlich im Hintergrund die grünen Billardtische unter den hellen Lampen.

Auf einem Podium sitzt eine Kapelle, und die Musiker im abgewetzten Smoking haben fettes langes Haar und blasse Gesichter.

Man trifft dort sonntäglich gekleidete Familien und Stammgäste mit roten Gesichtern, die immer an dem gleichen Tisch Domino oder Karten spielen und den Kellner beim Vornamen nennen. Es ist eine Welt, verstehen Sie? Eine fast in sich geschlossene Welt, die sich selbst genügt, eine Welt, in der ich beglückt versank und die ich am liebsten nie wieder verlassen hätte.

Sie sehen, mit zwanzig Jahren war ich dem Schwurgericht noch recht fern.

Ich erinnere mich, daß ich eine riesige Pfeife rauchte, die mir die Illusion gab, ein Mann zu sein, und daß ich alle Frauen mit der gleichen Begierde anblickte.

Nun, was ich immer gehofft hatte, ohne daran zu glauben zu wagen, habe ich eines Abends erlebt. An einem Tisch mir gegenüber saß allein ein junges Mädchen oder eine junge Frau, die ein marineblaues Kostüm und einen kleinen roten Hut trug.

Wenn ich zeichnen könnte, könnte ich noch ihr Gesicht und ihre Gestalt skizzieren. Sie hatte ein paar Sommersprossen an der Nasenwurzel, und wenn sie lächelte, kräuselte sich ihre Nase ein wenig.

Sie hat mich angelächelt. Sanft und wohlwollend. Es war nicht das provozierende Lächeln, in dem ich mich schon auskannte. Eine ganze Zeit haben wir uns gegenseitig so angelächelt. Unterdessen kamen die Kinobesucher in der Pause in das Café herein und gingen dann wieder, als es klingelte.

Dann hat sie mich mit den Augen, nur mit den Augen, gefragt, warum ich mich nicht zu ihr setzte. Ich habe gezögert. Ich habe den Kellner gerufen und meinen Verzehr bezahlt. Ich bin linkisch an ihren Tisch getreten.

»Gestatten Sie?«

Ein Ja mit den Augen, wieder nur mit den Augen.

»Sie schienen sich zu langweilen«, sagte sie schließlich, als ich mich auf die Bank gesetzt hatte.

Was wir uns dann gesagt haben, habe ich vergessen. Aber ich weiß, ich habe dort eine der glücklichsten Stunden meines Lebens verbracht. Das Orchester spielte Wiener Walzer. Draußen regnete es immer noch. Wir wußten nichts voneinander, und ich wagte nicht, etwas zu erhoffen.

Als die Kinovorstellung nebenan aus war, setzten sich Leute an den Nebentisch, um zu essen.

»Wie wäre es, wenn wir gingen?« hat sie gemurmelt.

Wir sind hinausgegangen. Und draußen in dem feinen Regen, den sie gar nicht beachtete, hat sie mich wie selbstverständlich untergefaßt.

»Sind Sie im Hotel abgestiegen?«

Weil ich ihr gesagt hatte, ich sei aus der Vendée, studierte aber in Nantes.

»Nein, ich wohne bei einer Tante in der Rue Saint-Jean . . .«

Und sie:

»Ich wohne ganz in der Nähe der Rue Saint-Jean. Nur, wir müssen ganz leise sein. Meine Wirtin würde mich sonst hinauswerfen.«

Wir sind an dem Geschäft meines Onkels vorbeigekommen, dessen Läden geschlossen waren, hinter dessen Glastür man aber einen Lichtschein sah. Denn der Raum hinter dem Laden diente ihnen als Wohnzimmer. Mein Onkel und meine Tante warteten auf mich. Ich hatte nämlich keinen Schlüssel.

Wir sind auch an dem Geschäft für Angelgeräte vorbeigekommen, und ich habe meine Begleiterin in die stille Straße gezogen, bis zur ersten Haustür. Verstehen Sie? Dort hat sie mir gesagt:

»Warte, bis wir bei mir sind . . .«

Das ist alles, mein Richter, und während ich es erzähle, wird mir selber bewußt, daß es lächerlich ist. Sie hat einen Schlüssel aus ihrer Handtasche gezogen, hat einen Finger auf den Mund gelegt und hat mir ins Ohr geflüstert:

»Vorsicht, Stufen.«

Sie hat mich an der Hand durch einen dunklen Korridor geführt, dann sind wir eine Treppe hinaufgegangen, deren Stufen krachten, und auf dem Treppenabsatz haben wir unter einer Tür Licht gesehen.

»Pst . . .«

Es war das Zimmer der Wirtin. Das Sylvies lag daneben. In dem Haus roch es muffig. Es gab dort noch kein elektrisches Licht, und sie hat eine Gaslampe angezündet, deren Licht den Augen wehtat.

Immer noch flüsternd, hat sie mir gesagt, ehe sie hinter einen geblümten Kretonnevorhang verschwand:

»Ich komme gleich wieder!«

Ich sehe noch die Kämme auf dem Tisch vor mir, der als Toilette diente, den schlechten Spiegel, die Steppdecke auf dem Bett. Das ist alles und doch nicht alles, mein Richter. Es ist alles, weil sich nichts Außergewöhnliches ereignet hat. Und es ist nicht alles, weil ich mich zum erstenmal nach einem anderen Leben als dem meinen sehnte.

Ich wußte nicht, wer sie war, noch woher sie kam. Ich ahnte dunkel, was für eine Art von Leben sie führte, und daß ich nicht der erste war, der mit ihr auf Zehenspitzen die alte Treppe hinaufstieg.

Aber was hatte das schon zu bedeuten? Sie war eine Frau, und ich ein Mann. Wir waren zwei Menschen, die in diesem Zimmer, in diesem Bett flüsterten, während die Wirtin hinter der Wand schlief. Draußen regnete es. Hin und wieder hörte man auf dem feuchten Pflaster Schritte hallen.

Meine Tante und mein Onkel warteten auf mich und machten sich gewiß schon Sorgen.

Es hat einen Augenblick gegeben, mein Richter, da ich, den Kopf zwischen ihren Brüsten, geweint habe.

Ich wußte nicht warum. Weiß ich es heute? Ich habe vor Glück und Verzweiflung zugleich geweint.

Ich hielt sie in meinen Armen. Ich erinnere mich, daß sie mechanisch meine Stirn streichelte und dabei zur Decke blickte.

Ich hätte gewünscht . . .

Aber ich fand keine Worte dafür und finde sie auch jetzt noch nicht. Caen war in diesem Augenblick für mich die Welt. Sie war dort hinter dem Fenster, hinter der Wand, die uns die schlafende Wirtin verbarg.

Sie war das Geheimnis, war der Feind.

Aber wir waren zwei, zwei, die einander nicht kannten. Die kein gemeinsames Interesse hatten, zwei, die der Zufall für eine kurze Weile zusammengeführt hatte.

Es ist vielleicht die erste Frau gewesen, die ich geliebt habe. Sie hat mich für ein paar Stunden beseligt.

Sie war schlicht und freundlich. In der Brasserie Chandivert hatte ich sie zunächst für ein junges Mädchen gehalten, das auf seine Eltern wartete. Dann für eine kleine Ehefrau, die auf ihren Mann wartete.

Aber nun lagen wir Leib an Leib in dem gleichen Bett. Türen und Fenster waren geschlossen, und es gab nur uns zwei auf der Welt.

Ich bin eingeschlafen. Ich bin im Morgengrauen erwacht; sie atmete friedlich, und ihre beiden Brüste ragten über die Decke heraus. Meines Onkels und meiner Tante wegen wurde mir plötzlich himmelangst. Ich habe mich leise erhoben und wußte nicht, was ich tun sollte. Sollte ich Geld auf den Toilettentisch legen?

Ich habe es beschämt getan. Ich drehte ihr den Rücken. Als ich mich umgewandt habe, blickte sie mich an und murmelte: »Kommst du wieder?«

Und dann:

»Geh leise, damit du die Wirtin nicht weckst...«

Das ist eine alberne Geschichte, nicht wahr? Sie hat sich in Ihrer Stadt ereignet. Haben auch Sie das erlebt? Da wir ungefähr gleich alt sind, haben auch Sie vielleicht Sylvie gekannt, haben auch Sie vielleicht...«

Für mich, mein Richter, ist es die erste Liebe gewesen. Aber erst jetzt nach so vielen Jahren wird mir das klar. Und da ist noch etwas Ernsteres: Mir wird auch klar, daß ich zwanzig Jahre lang, ohne es zu wissen, eine Sylvie gesucht habe.

Und ihretwegen im Grunde...

Entschuldigen Sie. Mein Stier ist wütend, weil man uns eben den Blechnapf gebracht hat und er nicht wagt, sich vor mir zu bedienen.

Ich werde Ihnen das ein andermal erklären, mein Richter.

ZWEITES KAPITEL

Meine Mutter ist vor Gericht erschienen, denn man hat sie als Zeugin vorgeladen. So unglaublich das scheinen mag, ich weiß jetzt noch nicht, ob es der Ankläger oder die Verteidigung getan hat. Von meinen beiden Anwälten ist der eine, Herr Oger aus La Roche-sur-Yon, nur gekommen, um seinem Pariser Kollegen zu assistieren und um sozusagen meine Heimat zu vertreten. Was Herrn Gabriel betrifft, so hat er mir strikt untersagt, mich um irgend etwas zu kümmern.

»Ist das mein Beruf oder der Ihre?« rief er mit seiner lauten mürrischen Stimme. »Lassen Sie sich sagen, mein Freund, es gibt keine Zelle in diesem Gefängnis, aus der ich nicht mindestens einen Klienten herausgeholt habe!«

Man hat meine Mutter kommen lassen, vielleicht er, vielleicht die anderen. Als der Präsident sie aufgerufen hat, hat es Bewegung im Saal gegeben. Die Leute in den hinteren Reihen haben sich erhoben, die stehenden Zuschauer haben sich auf die Zehenspitzen gestellt, und ich habe von meinem Platz aus gesehen, wie sie die Hälse reckten.

Man hat mir vorgeworfen, daß ich nicht einmal da eine Träne vergossen hätte, und man hat von meiner Gefühllosigkeit gesprochen. Die Dummköpfe! Und welch ein Mangel an Anstand und Menschlichkeit, so über etwas zu sprechen, von dem man keine Ahnung hat!

Arme Mama. Sie war in Schwarz. Seit mehr als dreißig Jahren geht sie immer von Kopf bis Fuß schwarz gekleidet wie die meisten Bäuerinnen bei uns. So wie ich sie kenne, hat sie sich gewiß Gedanken darüber gemacht, was sie anziehen solle, und meine Frau um Rat gefragt. Ich möchte wetten, daß sie zwanzigmal wiederholt hat: »Ich habe solche Angst, ihm zu schaden.«

Ohne jeden Zweifel hat meine Frau ihr zu dem kleinen weißen Spitzenkragen geraten, damit das Kleid nicht wie ein Trauergewand wirkte und es nicht so aussähe, als ob sie die Geschworenen rühren wolle.

Sie weinte nicht, als sie hereinkam. Sie haben es gesehen, da Sie in der vierten Reihe, unweit der Zeugentür saßen. Alles, was man darüber gesagt und geschrieben hat, ist falsch. Seit Jahren schon werden ihre Augen behandelt, weil sie immer tränen. Sie sieht sehr schlecht, aber sie weigert sich dennoch, eine Brille zu tragen, unter dem Vorwand, man gewöhne sich an immer stärkere Gläser und erblinde schließlich. Sie ist gegen eine Gruppe junger Referendare gestoßen, die im Gang standen, und deswegen hat man behauptet, sie habe vor Schmerz und Scham geschwankt.

Die Komödie spielten die anderen, und als erster der Vorsitzende, der sich ein wenig von seinem Sitz erhob, um sie mit mitleidiger Miene zu grüßen, und dann zu dem Gerichtsdiener die traditionellen Worte sagte:

»Bringen Sie der Zeugin einen Stuhl.«

Die den Atem anhaltende Menge, die gereckten Hälse, die verkrampften Gesichter, und das alles nur, um eine unglückliche Frau zu betrachten, um ihr völlig belanglose, ja sogar völlig nutzlose Fragen zu stellen.

»Das Gericht bittet Sie um Entschuldigung, Madame, daß es Ihnen diese Prüfung auferlegt, und ersucht Sie dringend, sich nicht zu erregen.«

Sie blickte nicht zu mir hin. Sie wußte nicht, wo ich saß. Sie schämte sich. Nicht meinetwegen, wie die Journalisten geschrieben haben, sondern weil sie im Mittelpunkt der Aufmerksamkeit stand und so bedeutende Leute belästigte, sie, die sich selber immer so unbedeutend fühlte.

Denn in ihrer Vorstellung, wissen Sie, und ich kenne meine Mutter gut, belästigte sie die anderen. Sie wagte nicht, zu weinen. Sie wagte nicht, jemanden anzublicken.

Ich weiß nicht einmal, wie die ersten Fragen lauteten, die man ihr gestellt hat.

Ich muß das besonders betonen. Ich weiß nicht, ob es den anderen Angeklagten ebenso geht. Für mein Teil ist es mir oft schwer gefallen, mich für meinen eigenen Prozeß zu interessieren. Liegt das an dieser ganzen Komödie, die so wenig mit der Wirklichkeit zu tun hat?

Viele Male während der Vernehmung eines Zeugen, oder während Herr Gabriel und der Staatsanwalt einander laut anfuhren (Herr Gabriel kündigte diese Zwischenfälle, zu denen es zweimal am Tage kam, den Journalisten stets mit einem verheißenden Augenzwinkern an), viele Male sage ich, war ich wie abwesend, ein Zustand, der manchmal bis zu einer halben Stunde dauerte, und ich betrachtete dabei ein Gesicht in der Menge oder nur Schattenflecken auf der Wand mir gegenüber.

Einmal habe ich die Zuhörer zu zählen begonnen. Ich habe fast eine ganze Sitzung dazu gebraucht, weil ich mich verzählte und dann wieder von vorn anfing. Es waren vierhundertzweiundzwanzig Personen, eingeschlossen die Wachtmeister im Hintergrund. Vierhundertzweiundzwanzig zweifellos auch an jenem Morgen, die meine Mutter anblickten, als Herr Gabriel sie durch den Vorsitzenden fragen ließ:

»Hat Ihr Sohn in seiner Kindheit nicht eine Gehirnhautentzündung gehabt?«

Als ob man sie darum aus der Vendée kommen zu lassen brauchte! Und nach dem Ton der Frage hätte man glauben können, daß das der Kern des Prozesses, der Schlüssel zu dem Rätsel war. Ich habe den Trick gemerkt, mein Richter. Denn es war ein Trick. Die beiden Gegner, der Staatsanwalt und der Verteidiger, bemühten sich beharrlich, der Zeugin die lächerlichsten Fragen zu stellen, was vermuten läßt, daß sie damit etwas Bestimmtes bezweckten.

Von meiner Bank aus sah ich die Geschworenen die Brauen runzeln, die Stirn in Falten legen, wie die Leser von Kriminalromanen, die der Autor scheinheilig auf eine neue Spur lenkt.

»Ja, Herr Richter. Er ist sehr krank gewesen, und ich habe gefürchtet, er würde sterben.«

»Seien Sie so freundlich und wenden Sie sich den Herrn Geschworenen zu. Ich glaube, sie haben Sie nicht verstanden.«

Und meine Mutter wiederholte gehorsam, mit der gleichen Stimme:

»Ja, Herr Richter. Er ist sehr krank gewesen, und ich habe gefürchtet, er würde sterben.«

»Ist Ihnen nicht aufgefallen, daß sich infolge dieser Krankheit der Charakter Ihres Sohnes verändert hat?« Sie begriff nicht.

»Nein, Herr Richter.«

»Antworten Sie den Herrn Geschworenen.«

Es war für sie ein ebenso unergründliches Geheimnis wie das der Messe, daß man sie von der einen Seite fragte und sie nach der anderen antworten mußte.

»Ist er nicht ungebärdiger geworden?«

»Er ist immer sanft wie ein Lamm gewesen, Herr Richter . . .«

». . . Präsident . . .«

». . . Herr Präsident. In der Schule ließ er sich von seinen Kameraden schlagen, weil er stärker war als sie und Angst hatte, ihnen weh zu tun.«

Warum lächelte man im Saal und sogar auf der Bank der Journalisten, die diese Worte hastig niederschrieben.

»Er war genau wie ein Hund, den wir gehabt haben und der . . .«

Sie verstummte plötzlich, eingeschüchtert und verlegen. Mein Gott, betete sie gewiß bei sich, daß ich ihm nur nicht schade . . .

Sie kehrte mir immer noch den Rücken zu.

»Nach der ersten Verheiratung des Angeklagten haben Sie mit dem jungen Paar zusammengelebt, nicht wahr?«

»Natürlich, Herr Präsident.«

»War die Ehe glücklich?«

»Warum hätte sie nicht glücklich sein sollen?«

»Sie haben weiter mit ihrem Sohn zusammengelebt, als er sich wiederverheiratet hat, und Sie wohnen jetzt noch mit seiner zweiten Frau zusammen. Es wäre für die Geschworenen interessant zu wissen, ob die Beziehungen zwischen dem Angeklagten und seiner zweiten Frau die gleichen waren wie die zu der ersten.«

»Verzeihung?«

Arme Mama, die an solche langen Sätze nicht gewöhnt ist und die nicht zu gestehen wagte, daß sie ein wenig schwerhörig ist.

»Ich will dann lieber so fragen: Verhielt sich Ihr Sohn seiner zweiten Frau gegenüber genauso wie seiner ersten gegenüber?«

Die Feiglinge! Sie weinte jetzt. Nicht meinetwegen, nicht meines Verbrechens wegen, sondern aus Gründen, die das Gericht nichts anging. Dennoch hielten sich die anderen für schlau. Wenn man sie beobachtete, wie sie alle ihre Blicke auf eine weinende Frau richteten, hätte man glauben können, sie würden ihr den Schlüssel zu dem Geheimnis entreißen.

Es ist dennoch ganz einfach, mein Richter. In meiner ersten Ehe blieb meine Mutter die eigentliche Herrin des Hauses, denn meine Frau war keine gute Hausfrau.

Als ich Armande heiratete, wurde das anders, weil sie eine ausgeprägtere Persönlichkeit ist und sehr ihren eigenen Geschmack hat. Wenn man einer Frau von sechzig Jahren plötzlich ihre gewohnte Arbeit entzieht, wenn man sie daran hindert, den Dienstboten zu befehlen, sich um die Küche, um die Kinder zu kümmern, dann ist das äußerst schmerzhaft für sie.

Und darum eben weinte meine Mutter. Weil sie nur noch eine Fremde im Hause ihrer Schwiegertochter war.

»War Ihr Sohn Ihrer Meinung nach in seiner zweiten Ehe glücklich?«

»Bestimmt, Herr Richter, Verzeihung, Herr Präsident.«

»Nun, warum hat er sie dann verlassen?«

Verzwickte Frage. Was konnte sie schon davon wissen?

Ich weinte nicht, nein. Ich ballte die Fäuste hinter meiner Bank, preßte die Zähne zusammen, und wenn ich mich nicht beherrscht hätte, wäre ich aufgesprungen und hätte beleidigende Worte gebrüllt.

»Wenn Sie sich zu müde fühlen, um der Vernehmung folgen zu können, können wir sie in der Nachmittagssitzung fortsetzen.«

»Nein, Herr . . .«, stammelte Mama. »Mir ist es lieber jetzt gleich.«

Und als der Vorsitzende sich meinem Anwalt zuwandte, hat sie in die gleiche Richtung geblickt und dabei mich bemerkt. Sie hat nichts gesagt. An der Bewegung ihres Halses habe ich erkannt, daß sie schluckte. Und ich weiß genau, was sie mir gesagt hätte, wenn sie mit mir hätte sprechen können. Sie hätte mich um Verzeihung gebeten, daß sie sich so unbeholfen, so lächerlich aufführte. Denn sie kam sich lächerlich vor, oder richtiger gesagt nicht an ihrem Platz, was für sie am demütigendsten ist. Sie hätte mich um Verzeihung gebeten, weil sie nicht wußte, was sie antworten sollte, und auch vielleicht, weil sie mir zu schaden fürchtete.

Herr Oger, den ich als einen Freund betrachtete, Herr Oger, den meine Frau von La Roche nach Paris geschickt hatte, um meinem anderen Verteidiger zur Seite zu stehen, hat da eine Gemeinheit begangen. Er hat sich zu Herrn Gabriel hinübergebeugt, der sofort genickt hat und wie in der Schule die Hand hob, um damit zu zeigen, daß er das Wort nehmen wolle.

»Herr Präsident, mein Kollege und ich möchten, daß Sie die Zeugin fragen, unter welchen Umständen ihr Mann gestorben ist.«

»Haben Sie die Frage verstanden, Madame?«

Lumpen! Sie wurde leichenblaß. Sie zitterte so, daß der Gerichtsdiener auf sie zuging, falls sie zusammenbräche oder ohnmächtig würde.

»Er ist durch einen Unfall ums Leben gekommen«, brachte sie schließlich ganz leise heraus.

Man ließ es sie noch einmal wiederholen.

»Was für einen Unfall?«

»Er reinigte sein Gewehr in der Werkstatt hinter dem Hause. Dabei ist ein Schuß losgegangen . . .«

»Herr Gabriel?«

»Ich bitte Sie, trotz der Grausamkeit meiner Frage, weiter in die Zeugin zu dringen. Kann sie dem Gericht versichern, daß ihr Mann sich nicht das Leben genommen hat?«

Empört richtete sie sich mühsam auf.

»Mein Mann ist durch einen Unfall gestorben.«

Und das alles, mein Richter, um einen kleinen Satz in einem Plädoyer anbringen zu können! Das alles, damit Herr Gabriel später, mit einer pathetischen Geste auf mich deutend, ausrufen konnte:

». . . dieser Mann, der erblich belastet ist . . .«

Erblich belastet! Und Sie, mein Richter? Und Herr Gabriel? Und die beiden Reihen Geschworener, deren Gesichter zu studieren ich genügend Muße hatte? Erblich belastet, ja, ich bin es. Jeder ist es. Alle Söhne Adams sind es.

Ich will Ihnen die Wahrheit sagen, nicht wie man sie in den Familien erzählt, in denen man sich dessen schämt, was man für Schandflecken hält, sondern ganz einfach als Mensch, als Arzt, und es würde mich sehr wundern, wenn Sie nicht in Ihrer eigenen Familie etwas Ähnliches fänden.

Ich bin in einem jener Häuser geboren, die man heute schon mit Rührung betrachtet und die man später sicherlich, wenn es ihrer nur noch wenige in der französischen Provinz gibt, in Museen verwandeln wird. Ein altes Steinhaus, mit großen, kühlen Räumen, mit vielen Fluren und Stufen hier und dort, deren Ursprung man vergessen hat, und in denen es zugleich nach Bohnerwachs und Land, nach reifendem Obst, nach Getreide und nach etwas, das auf dem Herd in der Küche brutzelt, riecht.

Dieses Haus war einst, zur Zeit meiner Großeltern, ein Herrenhaus, das manche das Schloß nannten, und es bildete den Mittelpunkt von vier Höfen, von denen jeder fünfzig Hektar umfaßte.

Zur Zeit meines Vaters waren es nur noch zwei Höfe, und kurz vor meiner Geburt nur noch einer. Dann ist auch das Haus geschlossen worden, und mein Vater hat begonnen, den Boden mit seinen eigenen Händen zu bestellen und Vieh zu züchten.

Er war größer, breiter und stärker als ich. Man hat mir erzählt, daß er manchmal, wenn er auf dem Markt getrunken hatte, wettete, er werde ein Pferd auf seinem Rücken tragen, und alte Leute aus der Gegend versichern, er habe diese Wette stets gewonnen.

Er hat sich spät verheiratet, als er schon über die Vierzig hinaus war. Er war ein schöner Mann und besaß noch so viel, um auf eine gute Partie Anspruch erheben und so wieder ›jemand‹ werden zu können.

Wenn Sie Fontenay-le-Comte kennen würden, das dreißig Kilometer von uns entfernt liegt, hätten Sie gewiß von den Lanoue-Töchtern gehört. Es waren fünf, und ihre alte Mutter war schon lange Witwe. Sie waren einmal reich gewesen, aber ihr Vater hatte durch lächerliche Spekulationen sein Vermögen verloren.

Zur Zeit meines Vaters bewohnten die Lanoues, die Mutter und die fünf Töchter, immer noch ihr großes Haus in der Rue Rabelais, und noch heute wohnen zwei alte Fräulein Lanoue, die letzten, darin.

Man kann wohl kaum so völlig verarmt sein und dennoch so würdig leben, wie sie so viele Jahre in diesem Hause gelebt haben. Die Einkünfte waren so mager, daß sie sich täglich kaum eine richtige Mahlzeit leisteten, was jedoch die fünf Fräulein Lanoue nicht daran hinderte, immer in Begleitung ihrer Mutter, in großer Aufmachung der Messe und der Vesper beizuwohnen und dann erhobenen Hauptes durch die Rue de la République zu schlendern.

Die jüngste mußte fünfundzwanzig Jahre alt sein, aber es war die dreißigjährige die mein Vater eines schönen Tages geheiratet hat.

Es ist meine Mutter, mein Richter. Verstehen Sie, daß die Worte, »glücklich sein«, nicht den gleichen Sinn für diese Frau haben wie für die Herren vom Gericht?

Als sie nach Bourgneuf kam, war sie so anämisch, daß

sie in der kräftigen Landluft jahrelang an Schwindel litt. Die Geburten ihrer Kinder waren schwer, und man fürchtete immer, sie werde dabei sterben, besonders als ich, zwölf Pfund schwer, auf die Welt kam.

Ich habe Ihnen gesagt, mein Vater habe einen Teil seines Bodens selber bestellt. Das stimmt, und dennoch nicht ganz. Ein guter Teil der Arbeit bei uns auf den Höfen besteht darin, auf die Märkte zu ziehen, die in allen kleinen Ortschaften abgehalten werden.

Das war die Sache meines Vaters. Und ebenso die Veranstaltung von Hasen- oder Wildschweinjagden, wenn diese Tiere in der Gegend Verheerungen anrichteten.

Mein Vater ist sozusagen mit einem Gewehr in der Hand geboren. Wenn er auf die Felder ging, trug er es auf dem Rücken. Im Gasthof stellte er es zwischen seine Beine, und ich habe ihn immer mit einem Hund gesehen, der zu seinen Füßen lag, die Schnauze auf seinen Stiefeln.

Sie sehen also, ich habe nicht übertrieben, als ich Ihnen versichert habe, ich sei der Scholle näher als Sie.

Ich besuchte die Dorfschule. Ich angelte in den Bächen und kletterte wie meine Kameraden auf Bäume.

Ist mir damals aufgefallen, daß meine Mutter traurig war? Ach nein. Für mich war dieser Ernst, der sie fast nie verließ, das typische Merkmal der Mütter, und ebenso diese Sanftheit, dieses immer gleichsam verschleierte Lächeln.

Mein Vater setzte mich auf die Ackergäule, auf die Ochsen, versetzte mir Püffe, bedachte mich mit rauhen Worten, die meine Mutter zusammenzucken ließen, und sein Schnurrbart, der von jeher grau war, roch morgens stark nach Wein oder Schnaps.

Mein Vater trank, mein Richter. Gibt es nicht in jeder Familie einen Trinker? In meiner war es mein Vater. Er trank auf den Märkten. Er trank auf den Höfen und in der Wirtschaft. Er trank zu Hause. Er lauerte den Vorübergehenden in der Tür auf, um sie in den Weinkeller zu locken.

Er war auf den Märkten der Gefährlichste, weil, wenn er getrunken hatte, ihm die bestürzendsten Dinge ganz natürlich erschienen.

Ich habe das alles erst später verstanden, denn ich habe andere gesehen, die ihm ähnelten. Ich könnte sagen, jedes Dorf hat so einen.

Eine Generation trennt Sie von der Scholle, und Sie haben sicherlich nicht die unbarmherzige Monotonie der Jahreszeiten kennengelernt: Schon von morgens vier Uhr an liegt einem der Himmel wie eine Last auf den Schultern, und jede Stunde des Tages ist von einem immer größeren Packen alltäglicher Sorgen beschwert.

Manche merken gar nichts davon, und man sagt, sie seien glücklich. Andere trinken, ziehen auf den Markt und laufen hinter den Mädchen her. So war es bei meinem Vater.

Kaum daß er aufgewacht war, mußte er sich mit einem Schnaps ermuntern, um jenen Schwung zu bekommen, der ihn in der Gegend berühmt machte. Dann brauchte er noch weitere Flaschen, um sich das zu erhalten, was wie Optimismus wirkte. Und sehen Sie, mein Richter, das hat meine Mutter, glaube ich, verstanden. Wer weiß, vielleicht ist es der Hauptgrund, warum ich sie liebe und achte.

Nie habe ich, obwohl sich der größte Teil unseres Lebens in einem Raum abspielte und ich wie alle Kinder stets die Ohren spitzte, meine Mutter sagen hören:

»Du hast wieder getrunken, François.«

Nie hat sie meinen Vater gefragt, wo er gewesen sei, selbst an jenem Markttag nicht, als er den für eine Kuh erzielten Preis mit Mädchen ausgegeben hatte.

Ich glaube, das gerade ist es, was sie in ihrem Inneren Respekt nennt. Sie respektierte den Mann. Nicht nur aus Dankbarkeit, weil er eine der fünf Lanoue-Töchter geheiratet hatte, nein, sie spürte einfach, daß er nicht anders sein konnte.

Wie oft habe ich abends, wenn ich schon im Bett lag, die

trompetende Stimme meines Vaters verkünden hören, er bringe Freunde mit, Freunde, die er überall aufgelesen hatte, die alle schon betrunken waren und bei ihm noch eine letzte Flasche trinken wollten.

Sie bediente sie. Von Zeit zu Zeit kam sie an meine Tür und horchte, und ich tat, als ob ich schliefe, denn ich wußte, wie sehr sie fürchtete, ich könnte die häßlichen Worte behalten, die man in dem großen Raum brüllte. In jeder Jahreszeit, oder fast jeder, wurde ein Stück Land verkauft.

»Bah, dies so abgelegene Stück macht uns mehr Plage, als es uns einbringt«, sagte mein Vater, der an jenen Tagen anders als sonst wirkte, und er trank dann tage-, ja manchmal wochenlang nicht, rührte nicht einmal ein Glas Wein an. Er bemühte sich, heiter zu erscheinen, aber es war eine unechte Heiterkeit.

Ich erinnere mich noch, wie ich eines Tages, als ich am Brunnen spielte, ihn langausgestreckt vor einem Schober liegen sah. Er hatte das Gesicht zum Himmel gekehrt und lag so reglos da, daß ich glaubte, er sei tot, und zu weinen begann. Als er mich hörte, schien er aus einem Traum zu erwachen. Ich frage mich noch heute, ob er mich sofort erkannt hat, so abwesend war sein Blick.

Es war einer jener Abende, da das Gras dunkelgrün wird und jeder Halm sich zitternd von den anderen abhebt wie auf den Bildern der alten flämischen Meister.

»Was hast du, Söhnchen?«

»Ich habe mir beim Laufen den Fuß verrenkt.«

»Komm, setz dich her.«

Ich hatte Angst, aber ich habe mich neben ihn ins Gras gesetzt. Er hat seinen Arm um meine Schultern gelegt. In der Ferne sah man das Haus und den Rauch, der senkrecht aus dem Schornstein zum weißen Himmel aufstieg. Mein Vater schwieg, und hin und wieder verkrampften sich seine Finger ein wenig auf meiner Schulter. Wir blickten beide ins Leere, und ich fragte mich, ob mein Vater auch Angst habe.

Ich weiß nicht, wie oft ich diese Angst zu ertragen vermocht hätte, und ich bin gewiß leichenblaß gewesen, als vom Walde her ein Schuß herüberhallte.

Da ist mein Vater wieder zum Leben erwacht, hat seine Pfeife aus der Tasche gezogen, ist aufgestanden und hat in ganz natürlichem Ton zu mir gesagt:

»So etwas! Mathieu schießt Hasen auf der unteren Wiese!«

Zwei Jahre sind vergangen. Ich merkte nicht, daß mein Vater schon alt war, älter als die anderen Väter. Immer häufiger stand er nachts auf, und ich hörte Wasserplätschern und Flüstern, und am nächsten Morgen wirkte er erschöpft. Bei Tisch schob meine Mutter ihm eine kleine Pappschachtel hin und sagte:

»Vergiß deine Pille nicht . . .«

Dann eines Tages, als ich neun Jahre alt und in der Schule war, ist einer unserer Nachbarn, der alte Courtois, ins Klassenzimmer gekommen und hat leise mit dem Lehrer gesprochen. Beide blickten zu mir hin.

»Kinder, seid jetzt bitte ein paar Minuten ganz brav. Alavoine, mein Junge, komm mit mir auf den Hof.«

Es war Sommer. Auf dem Hof war es heiß. Um alle Fenster rankten sich Rosen.

»Komm mal her, kleiner Charles . . .«

Der alte Courtois war inzwischen schon zum Tor gegangen, wo er wartete. Der Lehrer legte seinen Arm um meine Schulter, wie es mein Vater damals getan hatte. Der Himmel war leuchtend blau, und die Lerchen sangen.

»Du bist jetzt schon fast ein Mann, Charles, nicht wahr? Und ich glaube, du liebst deine Mama sehr. Nun, du wirst sie von nun an noch mehr lieben müssen, weil sie dich sehr braucht . . .«

Schon ehe er das letzte sagte, wußte ich, was geschehen war. Obwohl ich nie daran gedacht hatte, daß mein Vater sterben könnte, konnte ich ihn mir tot vorstellen. Ich sah ihn wieder langausgestreckt vor dem Schober liegen wie an jenem Septemberabend vor zwei Jahren.

Ich habe nicht geweint, mein Richter. Ebensowenig wie

vor dem Schwurgericht. Die Journalisten würden wahrscheinlich wieder einmal sagen, ich sei ein Untier. Ich habe nicht geweint, aber es war mir, als hätte ich in den Adern kein Blut mehr, und als der alte Courtois mich an der Hand in sein Haus führte, ging ich wie im Nebel.

Man hat mich meinen Vater nicht sehen lassen. Ich kam erst wieder nach Hause, als er schon im Sarge lag. Alle, die ins Haus kamen, in dem man von morgens bis abends und von abends bis morgens für die Totenwache Wein auftischen mußte, haben kopfschüttelnd immer wieder gesagt:

»Er, der die Jagd so geliebt und den man nie ohne sein Gewehr gesehen hat . . .«

Fünfunddreißig Jahre danach sollte ein sich vor Wichtigkeit blähender und vor Eitelkeit roter Anwalt meine arme Mutter mit der Frage quälen:

»Sind Sie sicher, daß Ihr Mann sich nicht das Leben genommen hat?«

Unsere Bauern in Bourgneuf haben mehr Takt gehabt. Sie haben natürlich untereinander darüber gesprochen, aber sie haben es nicht für notwendig gehalten, es meiner Mutter zu sagen.

Mein Vater hat sich das Leben genommen. Was hat das schon zu sagen?

Mein Vater trank.

Und ich würde Ihnen gern etwas sagen, aber, mein Richter, so gescheit Sie auch sind, ich fürchte, Sie würden es nicht verstehen.

Ich will nicht sagen, daß die, die trinken, die besten sind, aber es sind zumindest jene, die etwas erspäht haben, etwas, das sie nicht erreichen konnten, etwas, nach dem sie sich sehnsüchtig verzehrten, etwas vielleicht, auf das mein Vater und ich an jenem Abend starrten, als wir beide vor dem Schober saßen und der farblose Himmel sich in unseren Augen spiegelte.

Stellen Sie sich jetzt vor, ich hätte das vor den Herren

vom Gericht und vor dem giftigen, hinkenden Journalisten gesagt!

Aber ich möchte jetzt lieber gleich von Jeanne, meiner ersten Frau, sprechen.

*

Eines Tages — ich war damals fünfundzwanzig Jahre alt — hat man mir in Nantes feierlich mein medizinisches Doktordiplom überreicht. Nach dieser Zeremonie, bei der ich Blut und Wasser geschwitzt habe, hat mir ein anderer Herr ganz diskret ein kleines Paket übergeben, das einen Füllfederhalter enthielt, auf dem in Gold mein Name und das Datum meiner Doktorprüfung eingraviert war.

Der Füllfederhalter hat mir die größte Freude gemacht. Es war das erste, was ich wirklich gratis bekam.

In der juristischen Fakultät haben sie nicht die gleiche Chance wie wir, weil sie nicht so unmittelbar mit manchen großen Firmen zu tun haben.

Der Füllfederhalter wurde mir wie allen jungen Medizinern von einer bedeutenden pharmazeutischen Fabrik geschenkt.

Wir Studenten haben die ganze Nacht ziemlich gelumpt, während meine Mutter, die an der Feier teilgenommen hatte, in ihrem Hotelzimmer auf mich wartete. Ich habe die ganze Nacht nicht geschlafen und bin am nächsten Morgen mit ihr abgereist. Wir sind aber nicht nach Bourgneuf gefahren, wo sie fast alles, was wir noch an Land besaßen, verkauft hatte, sondern nach Ormois, einem Dorf, das etwa zwanzig Kilometer von La Roche entfernt liegt.

Ich glaube, an jenem Tage war meine Mutter vollkommen glücklich. Sie saß ganz klein und schmal neben ihrem großen Sohn. Zuerst im Zuge und dann im Autobus, und wenn ich es zugelassen hätte, hätte sie meinen Koffer getragen.

Wäre es ihr lieber gewesen, ich wäre Priester geworden? Das mag sein. Es war immer ihr Wunsch, daß ich Priester oder Arzt würde. Ich hatte mich zum Medizinstudium entschlossen, um ihr eine Freude zu machen, obwohl ich am liebsten als Bauer durch die Felder gestapft wäre.

Am gleichen Abend nahm ich sozusagen meine Arbeit in Ormois auf, wo meine Mutter die Praxis eines halb erblindeten alten Arztes gekauft hatte, der sich endlich entschloß, in den Ruhestand zu gehen.

Eine große Straße. Weiße Häuser. Ein Platz mit der Kirche auf der einen und der Mairie auf der anderen Seite. Ein paar alte Frauen, die noch die weiße Haube der Vendéerinnen trugen.

Da wir nicht reich genug waren, um uns ein Auto leisten zu können, ich aber ein Fahrzeug brauchte, um meine Besuche auf den Bauernhöfen in der Umgebung machen zu können, hatte meine Mutter mir ein schweres Motorrad gekauft.

Das Haus war hell, zu groß für uns beide, denn meine Mutter wollte nicht, daß wir ein Mädchen nähmen, und während der Sprechstunden öffnete sie selber den Kranken die Tür.

Der alte Arzt, der Marchandeau hieß, hatte sich ans andere Ende des Dorfes zurückgezogen, wo er sich ein kleines Haus gekauft hatte und seine Tage damit verbrachte, seinen Garten zu bestellen. Er war mager, hatte schneeweißes Haar und trug einen riesigen Strohhut, in dem er wie ein seltsamer Pilz aussah. Er musterte die Leute lange, bevor er mit ihnen sprach, weil er so schlecht sah und erst am Klang der Stimme erkannte, wer es war. Vielleicht war auch ich glücklich, mein Richter. Ich weiß es nicht. Ich war voll guten Willens. Ich bin immer voll guten Willens gewesen. Ich wollte zu allen nett sein und vor allem zu meiner Mutter.

Können Sie sich unseren kleinen Haushalt vorstellen? Sie pflegte und verwöhnte mich. Sie ging den ganzen Tag durch das große Haus, als hätte sie dunkel das Verlangen gespürt, mich zu bewahren.

Vor was bewahren? Hatte sie nicht, um mich zu bewahren, gewollt, daß ich Priester oder Arzt würde?

Sie zeigte ihrem Sohn gegenüber die gleiche Gefügigkeit, die gleiche Demut, die sie ihrem Mann gegenüber gezeigt hatte, und ich habe sie selten am Tisch mir gegenüber sitzen sehen, weil sie darauf bestand, mich wie ein Dienstmädchen zu bedienen.

Oft mußte ich auf mein Motorrad springen und meinen alten Kollegen aufsuchen, denn ich fühlte mich noch als Neuling und manchen Fällen, die ich behandeln sollte, nicht gewachsen.

Ich wollte alles gut machen, ich strebte nach Vollkommenheit. Ich sah in der Medizin gleichsam ein Priesteramt.

»Der alte Cochin?« sagte Marchandeau zu mir. »Wenn Sie ihm nur für zwanzig Francs Pillen verkaufen, ganz gleich welche, ist er zufrieden.«

Denn es gab keine Apotheke im Dorf, und ich verkaufte die Medikamente, die ich verschrieb, selber.

»Es ist bei fast allen das gleiche. Sagen Sie ihnen bloß nicht, ein Glas Wasser habe die gleiche Wirkung wie eine Arznei. Sie würden dann kein Vertrauen mehr zu Ihnen haben, und Sie hätten obendrein am Jahresende kaum soviel verdient, daß Sie Ihre Steuern bezahlen könnten. Arzneien, mein Freund, Arzneien!«

Das Amüsanteste ist, daß der alte Marchandeau als Gärtner genau die Mentalität der Kranken hatte, über die er sich mokierte. Von morgens bis abends düngte er seine Rabatten mit den unwahrscheinlichsten Produkten, von denen er in Katalogen las und die er sich, obwohl sie sehr teuer waren, kommen ließ.

»Arzneien! . . . Sie wollen nicht geheilt, sondern behandelt werden . . . Und vor allem sagen Sie ihnen nie, sie seien nicht krank! Sie wären dann verloren . . .«

Die eine der beiden Töchter Dr. Marchandeaus, der Witwer war, hatte einen Apotheker in La Roche geheiratet, und die andere, Jeanne, die damals zweiundzwanzig Jahre alt war, lebte bei ihm.

Ich wollte alles gut machen, ich sage es noch einmal. Ich weiß nicht einmal, ob sie hübsch war. Aber ich wußte, daß ein Mann in einem bestimmten Alter heiraten muß.

Warum nicht Jeanne? Sie lächelte mich bei jedem meiner Besuche schüchtern an. Sie kredenzte uns das Glas Weißwein, wie es bei uns Tradition ist. Sie hielt sich bescheiden im Hintergrund, so sehr im Hintergrund, daß ich jetzt nach sechzehn Jahren Mühe habe, mir ihr Bild ins Gedächtnis zu rufen.

Sie war sanft wie meine Mutter.

Ich hatte keine Freunde im Dorf. Ich begab mich selten nach La Roche-sur-Yon, denn in meiner Freizeit fuhr ich lieber auf meinem Motorrad in die Umgebung, um zu jagen oder zu angeln.

Ich habe ihr nicht den Hof gemacht.

»Mir scheint, du hast ein Auge auf Jeanne geworfen«, sagte meine Mutter eines Abends zu mir, als wir schweigend unter der Lampe auf den Augenblick warteten, zu Bett zu gehen.

»Meinst du?«

»Sie ist ein braves junges Mädchen . . . Es ist nichts gegen sie zu sagen . . .«

Eins jener jungen Mädchen, wissen Sie, die zu Weihnachten ihr Sommerkleid, zu Ostern ihren neuen Hut und zu Allerheiligen ihren Wintermantel geschenkt bekommen.

»Da du doch nicht Junggeselle bleiben wirst . . .«

Arme Mama. Wie gern hätte sie es gehabt, wenn ich Priester geworden wäre!

»Soll ich versuchen herauszubekommen, was sie davon hält?«

Es war meine Mutter, die uns verheiratet hat. Wir waren ein Jahr lang verlobt, weil die Leute auf dem Lande, wenn man sich zu schnell verheiratet, behaupten, man habe heiraten müssen. Ich sehe Marchandeaus großen Garten wieder vor mir und dann im Winter den Salon mit dem Kaminfeuer, wo der alte Arzt immer bald in seinem Sessel einschlief.

Jeanne arbeitete an ihrer Wäscheaussteuer. Dann kam die Zeit, da man sich mit dem Brautkleid befaßt hat, und schließlich verbrachten wir unsere Abende damit, die Liste der Gäste aufzustellen und immer wieder zu verändern.

War es, als Sie heirateten, ebenso, mein Richter? Ich glaube, ich wurde schließlich ungeduldig. Wenn ich sie beim Abschied an der Tür umarmte, wurde ich von der Wärme, die ihr Körper ausströmte, wie benommen.

Der alte Marchandeau war froh, auch seine jüngere Tochter unter die Haube gebracht zu haben.

»Jetzt werde ich endlich wie ein alter Fuchs leben können«, sagte er mit seiner ein wenig krächzenden Stimme.

Wir haben drei Tage in Nizza verbracht, denn ich war nicht reich genug, um mir einen Vertreter leisten zu können, und ich konnte meine Patienten nicht länger sich selbst überlassen.

Meine Mutter hatte mit Jeanne eine Tochter bekommen, eine Tochter, die noch gefügiger war, als wenn sie ihre eigene gewesen wäre. Mama führte weiter unseren Haushalt.

»Was soll ich tun, Mama?« fragte Jeanne mit engelhafter Sanftheit.

»Ruhen Sie sich aus, Kind. In dem Zustand, in dem Sie sind...«

Denn Jeanne war sofort schwanger geworden.

Ich wollte sie zur Entbindung nach La Roche-sur-Yon in die Klinik schicken. Mir graute etwas davor. Mein Schwiegervater lachte mich aus.

»Die hiesige Hebamme wird es ebenso gut machen. Sie hat ein gutes Drittel des Dorfes zur Welt gebracht...«

Dennoch war es eine sehr schwere Geburt. Mein Schwiegervater versuchte, mir immer wieder Mut zu machen:

»Bei meiner Frau war es das erstemal noch schlimmer. Aber Sie werden sehen, beim zweiten...«

Ich hatte immer von einem Sohn gesprochen, ich weiß nicht warum. Die Frauen, ich meine meine Mutter und Jeanne, waren deshalb fest davon überzeugt, daß es ein Junge werden würde.

Wir haben eine Tochter bekommen, und meine Frau war nach der Geburt noch drei Monate krank.

Entschuldigen Sie, mein Richter, wenn es so klingt als spräche ich von jemandem, der mich eigentlich nichts angeht. Sehen Sie, es ist so: Ich habe sie nie richtig gekannt. Sie gehörte zu meiner Umwelt. Sie war ein Teil der Konventionen. Ich war Arzt. Ich hatte eine Praxis, ein helles und heiteres Haus. Ich hatte ein sanftes, ehrbares Mädchen geheiratet. Sie hatte mir soeben ein Kind geschenkt, und ich pflegte sie, so gut ich konnte.

Wenn ich heute daran zurückdenke, erscheint mir das furchtbar, weil ich nie versucht habe, zu erfahren, was sie dachte, zu erfahren, wer sie wirklich war.

Wir haben vier Jahre lang in dem gleichen Bett geschlafen. Wir haben unsere Abende zusammen verbracht, und immer war Mama dabei und manchmal auch der alte Marchandeau, der kam, um vor dem Schlafengehen noch ein Glas Wein zu trinken.

Für mich ist das schon ein verblaßtes Bild. Ich hätte mich nicht entrüstet, ich versichere es Ihnen, wenn der Vorsitzende des Schwurgerichts, mit drohendem Finger auf mich deutend, gesagt hätte:

»Sie haben sie getötet . . .«

Denn das ist wahr. Nur ich wußte das nicht. Wenn man mich unvermittelt gefragt hätte: »Lieben Sie Ihre Frau?« hätte ich mit der unschuldigsten Miene von der Welt geantwortet:

»Aber natürlich.«

Weil ich nicht weiter sah. Weil es sich nun einmal gehört, daß man seine Frau liebt. Es gehört sich ebenso, daß man ihr Kinder macht. Alle sagten mir immer wieder:

»Das nächste wird bestimmt ein kräftiger Junge sein . . .«

Und ich ließ mich von diesem Gedanken verlocken, einen

kräftigen Jungen zu haben. Auch meine Mutter freute sich daran.

Ich habe sie getötet, dieses Gedankens an einen kräftigen Jungen wegen, den man mir in den Kopf gesetzt hatte und den ich schließlich für meinen eigenen Wunsch hielt.

Als Jeanne nach dem ersten Baby eine Fehlgeburt hatte, habe ich mir Sorgen gemacht.

»Das passiert allen Frauen«, sagte mir ihr Vater. »Sie werden nach einigen Jahren Praxis sehen . . .«

»Sie ist nicht stark . . .«

»Die Frauen, die ungesund wirken, sind die widerstandsfähigsten. Sehen Sie Ihre Mama an . . .«

Ich habe mir gesagt, Dr. Marchandeau sei älter als ich, habe mehr Erfahrung als ich und müsse darum recht haben.

Ein kräftiger, sehr kräftiger Junge, mindestens sechs Kilo schwer, da auch ich bei der Geburt sechs Kilo wog.

Jeanne sagte nichts. Sie ging im Hause hinter meiner Mutter her.

»Soll ich Ihnen helfen, Mama?«

Ich war den ganzen Tag auf meinem Motorrad unterwegs, um meine Besuche zu machen und zu angeln. Aber ich trank nicht. Ich bin nie ein Trinker gewesen. Ich betrog Jeanne kaum.

Wir verbrachten den Abend zu dritt oder viert. Dann gingen wir hinauf. Ich sagte scherzend:

»Wie wär's mit einem Sohn?«

Sie lächelte scheu. Sie war sehr schüchtern.

Sie ist von neuem schwanger geworden. Alle haben sich gefreut und mir prophezeit, es werde der erhoffte zwölf Pfund schwere Sohn werden. Ich gab ihr Stärkungsmittel und machte ihr Spritzen.

»Die Hebamme ist so viel tüchtiger als all diese Unglücks-chirurgen«, sagte mein Schwiegervater immer wieder zu mir.

Als man zur Zange greifen mußte, hat man mich gerufen. Der Schweiß, der mir über die Lider floß, hinderte mich fast am Sehen. Mein Schwiegervater war auch dort, lief hin und her wie jene kleinen Hunde, die die Spur verloren haben.

»Sie werden sehen, es wird alles sehr gut gehen . . . sehr gut . . .«

Ich habe das Kind tatsächlich zur Welt gebracht. Ein riesiges Mädchen, dem nur ein paar Gramm an den zwölf Pfund fehlten. Aber die Mutter starb zwei Stunden später, ohne einen Blick des Vorwurfs, und ihre letzten Worte waren:

»Ach, warum bin ich so schwach? . . .«

DRITTES KAPITEL

Während der letzten Schwangerschaft meiner Frau habe ich ein Verhältnis mit Lorette gehabt. So wie es in jedem Dorf einen Säufer, in jeder Familie einen Mann, der trinkt, gibt, gibt es bei uns auch kein Dorf ohne ein Mädchen wie Lorette.

Sie war Dienstmädchen beim Bürgermeister. Ein braves Mädchen von einem erstaunlichen Freimut, den viele Leute sicherlich Zynismus nennen würden. Ihre Mutter war die Haushälterin des Pfarrers, was Lorette nicht daran hinderte, ihm alle ihre Sünden zu beichten.

Kurz nachdem ich mich in Ormois niedergelassen hatte, ist sie in meinem Sprechzimmer erschienen.

»Ich komme, wie ich es von Zeit zu Zeit tue, um zu hören, ob ich nicht krank bin«, sagte sie mir, während sie ihren Rock hob und einen kleinen weißen Schlüpfer auszog, der sich straff über zwei feiste Hinterbacken spannte. »Hat der alte Arzt Ihnen nicht von mir berichtet?«

Er hatte mir von den meisten der Kranken berichtet, aber er hatte es vergessen oder absichtlich unterlassen, diese Patientin zu erwähnen, obwohl sie regelmäßig zu ihm gekommen war.

Ohne daß ich sie dazu aufforderte, legte sie sich auf den

schmalen, mit Leder bezogenen Diwan, auf dem ich die Patienten untersuchte, zog die Knie an und spreizte ihre milchig weißen, breiten Schenkel mit sichtlicher Befriedigung. Man spürte, daß sie diese Pose gern den ganzen Tag beibehalten hätte.

Lorette versäumte keine Gelegenheit, mit einem Mann zu schlafen. Sie hat mir gestanden, daß sie an manchen Tagen, wenn sie eine dieser Gelegenheiten voraussähe, keinen Schlüpfer anzöge, um Zeit zu gewinnen.

»Ich habe Schwein, denn ich scheine kein Kind bekommen zu können. Ich habe solche Angst vor den schmutzigen Krankheiten, daß ich mich lieber oft untersuchen lasse ..«

Sie kam jeden Monat einmal, manchmal öfter, und ungefähr zur gleichen Zeit beichtete sie immer. Eine Art Generalsäuberung. Jedesmal zog sie mit der gleichen Selbstverständlichkeit ihren Schlüpfer aus und legte sich auf den Diwan.

Ich hätte schon bei ihrem ersten Besuch Beziehungen mit ihr anknüpfen können, aber statt dessen habe ich monatelang nur in Gedanken damit gespielt. Wenn ich abends im Bett lag, dachte ich daran und manchmal auch, wenn ich meine Frau umarmte. Mit geschlossenen Augen stellte ich mir dann Lorettes breite weiße Schenkel vor. Ich dachte soviel daran, daß ich allmählich auf ihre Besuche zu lauern begann, und als ich ihr einmal auf dem Dorfplatz begegnete, konnte ich nicht umhin, ihr mit einem verlegenen Lächeln zu sagen:

»Na, du kommst ja gar nicht mehr zu mir.«

Ich weiß nicht, warum ich so lange der Versuchung widerstanden habe. Vielleicht der hohen Vorstellung wegen, die ich mir damals von meinem Beruf machte. Vielleicht, weil ich in der Angst erzogen worden war.

Sie ist gekommen. Sie hat sich wie immer auf den Diwan gelegt und mich neugierig und dann amüsiert angeblickt. Sie war ein Mädchen von achtzehn Jahren, und dennoch betrachtete sie mich, wie ein Erwachsener ein Kind betrachtet, dessen Gedanken er errät.

Ich wurde rot. Ich scherzte verlegen:
»Hast du viele in der letzten Zeit gehabt?«
Und ich stellte mir all diese Männer vor, von denen ich
die meisten kannte, wie sie sich auf das Mädchen stürzten,
das lachte.
»Ich zähle sie nicht, wissen Sie. Ich nehme sie, wie sie
kommen.«
Dann plötzlich umwölkte sich ihr Gesicht, weil ihr ein
Gedanke kam.
»Widre ich Sie an?«
Da habe ich alle Hemmungen fahren lassen. Wie ein großes Tier bin ich über sie hergefallen, und es war das
erstemal, daß ich in meinem Sprechzimmer der Liebe
frönte. Das erstemal auch, daß ich mich mit einer Frau
einließ, der, obwohl sie keine Prostituierte war, jede
Scham fehlte, die nur an ihr und mein Vergnügen
dachte, unser beider Lust mit allen nur möglichen Mit-
teln steigerte und mit den ordinärsten Worten darüber
sprach.
Nach Jeannes Tod ist Lorette weiter zu mir gekommen.
Dann kam sie seltener, denn sie hatte sich mit einem,
übrigens nicht allzu viel taugenden jungen Mann verlobt,
was sie aber nicht davon abhielt, mich trotzdem noch
manchmal aufzusuchen.
Wußte meine Mutter, was zwischen dem Mädchen des
Bürgermeisters und mir vorging? Ich frage es mich heute.
Es gibt so viele Fragen, die ich mir stelle, seit ich aus jener
Welt ausgestoßen bin, nicht nur über meine Mutter, sondern über fast alle Menschen, die ich gekannt habe.
Meine Mutter ist immer mit leisen Schritten gegangen
wie in der Kirche. Außer wenn sie ausging, habe ich sie
immer in Filzpantoffeln gesehen, und ich habe keine Frau
gekannt, die, wie sie, ohne das geringste Geräusch hin und
her zu gehen vermochte, so daß ich als Kind manchmal
erschrak, wenn ich plötzlich fast über sie stolperte, während ich geglaubt hatte, sie sei ganz woanders.
»Du bist ja hier!«

Wie oft habe ich das errötend gesagt.

Ich will sie nicht der Neugier beschuldigen, dennoch glaube ich, daß sie an den Türen lauschte, daß sie immer an den Türen gelauscht hat. Ich glaube sogar, wenn ich es ihr sagte, würde sie sich dessen nicht schämen. Sie tut das ganz selbstverständlich in dem Gedanken, daß es ihre Aufgabe sei, einen zu beschützen. Und um das zu können, muß man alles wissen.

Hat sie gewußt, daß ich schon vor Jeannes Tod mit Lorette schlief? Ich bin dessen nicht sicher. Später hat es ihr nicht verborgen bleiben können. Jetzt, nach einer so langen Zeit ist mir das völlig klar. Ich höre sie noch besorgt sagen:

»Nach ihrer Verheiratung wird Lorette wohl mit ihrem Mann nach La Rochelle ziehen, wo er ein Geschäft zu übernehmen gedenkt . . .«

Es gibt so vieles, das ich jetzt verstehe und von dem mich manches bestürzt, um so mehr, als ich Jahre und Jahre gelebt habe, ohne es auch nur zu vermuten. Habe ich wirklich gelebt? Ich frage es mich manchmal, und ich denke zuweilen, ich habe meine Zeit damit verbracht, wach zu träumen.

Es war alles unkompliziert. Meine Tage reihten sich in einem gleichmäßigen Rhythmus aneinander, über den ich mir nie Gedanken zu machen brauchte.

Es war alles unkompliziert, sage ich, bis auf meine Begierde nach Frauen. Ich sage nicht: nach Liebe, sondern nach Frauen. Als Landarzt glaubte ich mich zu mehr Vorsicht verpflichtet als irgend jemand. Ich fürchtete nichts so sehr wie einen Skandal. Man würde dann mit dem Finger auf mich zeigen, und in dem Dorf würde gleichsam eine unsichtbare Barriere um mich herum entstehen. Je stärker meine Begierde wurde, je stärker wurde auch diese Angst, so daß ich in manchen Nächten von kindischen Alpträumen geplagt wurde.

Was mich bestürzt, mein Richter, ist, daß eine Frau, meine Mutter, das alles erraten hat. Ich fuhr immer öfter auf meinem Motorrad nach La Roche-sur-Yon. Ich hatte dort einige Freunde, Ärzte und Anwälte, die ich in einem Café traf, wo sich immer im Hintergrund, in der Nähe der Theke, zwei oder drei Frauen aufhielten, die ich fast zwei Jahre lang begehrt habe, ohne mich je entschließen zu können, sie ins nächste Hotel mitzunehmen.

Wenn ich nach Ormois zurückkam, lief ich manchmal durch das ganze Dorf in der Hoffnung, Lorette irgendwo zu begegnen.

So stand es um mich, und meine Mutter wußte es. Sie hatte zwar viel Arbeit mit der Pflege meiner beiden kleinen Töchter, aber ich bin trotzdem davon überzeugt, daß sie allein meinetwegen sich eines schönen Tages entschlossen hat, ein Mädchen zu nehmen, sie, die einen solchen Horror davor hatte, eine Fremde in ihrem Haushalt zu haben.

Ich bitte Sie um Verzeihung, mein Richter, daß ich mich so lange bei diesen Einzelheiten aufhalte, die Ihnen vielleicht schmutzig erscheinen, aber ich habe das Gefühl, daß sie eine große Bedeutung haben. Sie hieß Lucile und kam natürlich vom Lande. Sie war siebzehn Jahre alt, war mager, und ihr schwarzes Haar war immer zerzaust. Sie war so schüchtern, daß sie die Teller fallen ließ, wenn ich sie unversehens ansprach.

Sie stand früh auf, um sechs Uhr, und kam als erste herunter, um Feuer zu machen, damit meine Mutter oben in aller Ruhe meine Töchter anziehen konnte.

Es war Winter. Ich sehe noch den rauchenden Ofen vor mir, rieche noch im ganzen Hause den Geruch des feuchten Holzes, das schlecht brennt, und dann den Duft des Kaffees. Fast jeden Morgen ging ich unter irgendeinem Vorwand in die Küche hinunter. Wohl an die fünfzigmal habe ich auf den feuchten Wiesen nach Champignons gesucht, nur um unten mit Lucile allein zu sein, die morgens stets nur einen Morgenrock über ihr Nachthemd streifte und dann später hinaufging, um sich zu waschen und anzuziehen.

Sie roch nach Bett, nach warmem Flanell, nach Schweiß. Ich glaube, sie ahnte nichts von meinen Absichten. Unter den verschiedensten Vorwänden gelang es mir, sie zu berühren.

»Wissen Sie, daß Sie wirklich zu mager sind, Lucile?«

Sie ließ es geschehen.

Wochen-, ja monatelang habe ich es so gemacht und dann habe ich noch Wochen verstreichen lassen, ehe ich mich immer um sechs Uhr morgens, als es draußen noch dunkel war, in der Küche mit ihr vergnügte.

Es bereitete ihr keinen Genuß. Sie war glücklich, daß sie mir diese Freude schenken konnte. Danach richtete sie sich wieder auf und verbarg ihren Kopf an meiner Brust. Bis zu dem Tage, da sie endlich wagte, den Kopf zu heben und mich zu küssen.

Wer weiß, wenn ihre Mutter nicht gestorben wäre, wenn ihr Vater nicht mit sieben Kindern allein auf dem Hof zurückgeblieben wäre und man sie nach Hause gerufen hätte, damit sie sich der Kinder annehme, wäre vieles vielleicht anders gekommen.

Etwa vierzehn Tage, nachdem Lucile gegangen war und wir mangels eines Mädchens nur eine Frau aus dem Dorfe hatten, die im Haushalt half, hat sich etwas Unangenehmes ereignet.

Die Postvorsteherin kam mit ihrer Tochter zu mir, einem jungen Mädchen von achtzehn oder neunzehn Jahren, das in der Stadt arbeitete und mit dessen Gesundheit es nicht zum besten stand.

»Sie ißt nicht, sie magert ab. Sie leidet an Schwindel. Ich frage mich, ob ihr Chef sie nicht zu viel arbeiten läßt...«

Sie war Stenotypistin bei einem Versicherungsagenten. Ich habe ihren Vornamen vergessen, aber ich sehe sie noch deutlich vor mir. Sie war geschminkter, als es die Mädchen sonst bei uns sind, hatte lackierte Nägel, hatte Schuhe mit hohen Absätzen und sehr ausgeprägte Formen.

Ich habe ohne Vorbehalt gehandelt. Es ist üblich, besonders bei jungen Mädchen, die oft ihrer Familie etwas zu verbergen haben, sie ohne Zeugen zu untersuchen und vor allem zu befragen.

»Nun, wir werden mal sehen, Frau Blain. Wenn Sie einen Augenblick warten wollen . . .«

Ich hatte sofort den Eindruck, daß das junge Mädchen sich über mich lustig machte, und ich frage mich jetzt, ob ich wirklich wie ein von Begierde geplagter Mann wirkte. Es ist möglich. Ich kann nichts dafür.

»Ich wette, Sie werden mich bitten, mich auszuziehen . . .«

Geradeheraus, ohne mir die Zeit gegeben zu haben, den Mund aufzumachen.

»Ach, wissen Sie, mir ist das gleich. Übrigens sind alle Ärzte so, nicht wahr?«

Sie zog ihr Kleid aus wie in einem Schlafzimmer, betrachtete sich dabei im Spiegel und brachte dann ihr Haar wieder in Ordnung.

»Wenn Sie an Tuberkulose denken, dann brauchen Sie mich nicht erst abzuhorchen, denn ich bin erst im vorigen Monat durchleuchtet worden . . .«

Schließlich drehte sie sich zu mir um und sagte:

»Soll ich mich nackt ausziehen?«

»Das ist nicht notwendig.«

»Wie Sie wollen. Was soll ich tun?«

»Legen Sie sich dorthin und bewegen Sie sich nicht . . .«

»Sie werden mich kitzeln . . . Ich will Ihnen gleich sagen, daß ich sehr kitzelig bin.«

Wie es zu erwarten war, begann sie, sobald ich sie berührte, zu lachen und sich zu winden.

Eine kleine Hure, mein Richter. Ich haßte sie und sah, wie sie sich an meiner Verwirrung weidete.

»Sie werden mir doch nicht sagen, daß Sie das gleichgültig läßt. Ich bin ganz sicher, wenn es meine Mutter oder eine andere alte Frau wäre, würde es Sie nicht verlangen, die gleichen Stellen zu untersuchen . . . Wenn Sie Ihre Augen sähen . . .«

Ich habe mich wie ein Idiot benommen. Sie war nicht mehr unschuldig. Ich hatte den Beweis dafür. Meine Erregung war ihr nicht verborgen geblieben, und sie amüsierte sich darüber und lachte mit offenem Munde. Das sehe ich am deutlichsten vor mir: diesen offenen Mund, die blitzenden Zähne, die kleine spitze rosa Zunge ganz dicht vor meinem Gesicht. Mit heiserer Stimme habe ich gesagt:

»Rühr dich nicht . . . Laß mich . . .«

Und da plötzlich hat sie sich gewehrt:

»Nein . . . Sind Sie verrückt?«

Wieder eine Einzelheit, die mir einfällt und die mich zur Vorsicht hätte gemahnen sollen. Die Putzfrau war dabei, den Flur zu kehren, der sich hinter meinem Sprechzimmer befand, und hin und wieder stieß der Besen gegen die Tür. Warum habe ich nicht locker gelassen, obwohl ich kaum noch eine Chance hatte? Mit lauter Stimme hat das Mädchen gesagt:

»Wenn Sie mich nicht sofort loslassen, schreie ich . . .«

Was hat die Putzfrau gehört? Sie hat an die Tür geklopft, hat sie geöffnet und gefragt:

»Hat der Herr Doktor gerufen?«

Ich weiß nicht, was sie gesehen hat. Ich habe gestottert:

»Nein, Justine . . . Danke . . .«

Und als die andere die Tür wieder geschlossen hatte, ist die kleine Hure in Lachen ausgebrochen.

»Sie haben schöne Angst gehabt, was? Tut Ihnen ganz recht. Ich ziehe mich jetzt wieder an. Was werden Sie Mama erzählen?«

Ich möchte schwören, daß Justine meiner Mutter alles brühwarm berichtet hat. Sie hat nie mit mir darüber gesprochen. Sie hat sich nichts davon anmerken lassen. Nur am gleichen Abend oder am nächsten Tage hat sie, als spräche sie zu sich, gesagt:

»Ich frage mich, ob du nicht genug Geld verdient hast, um dich in der Stadt niederzulassen . . .«

Und gleich darauf, wie es ihre Art ist:

»Über kurz oder lang werden wir doch dorthin ziehen müssen, deiner Töchter wegen, die nicht in die Dorfschule gehen können und die du sonst auf die Klosterschule schikken müßtest...«

Ich habe nicht viel Geld verdient, aber immerhin so viel, daß ich etwas beiseite legen konnte, dank des bei uns bestehenden Brauchs, daß die Landärzte ihren Patienten gleich die Medikamente verkaufen.

Es ging uns materiell leidlich. Das wenige Land, das meine Mutter hatte retten können, brachte uns eine kleine Pacht ein und lieferte uns außerdem Wein, Kastanien, Hühner und Hasen und schließlich Brennholz.

»Du solltest dich einmal in La Roche-sur-Yon erkundigen...«

Ich war schließlich nun schon fast zwei Jahre Witwer, und meine Mutter hielt es für besser, daß ich mich wiederverheiratete. Sie konnte nicht ewig willfährige Mädchen engagieren, die sich dann nacheinander verlobten oder in die Stadt gingen, wo sie mehr verdienten.

»Es eilt nicht, aber du könntest schon jetzt daran denken... Ich bin hier glücklich. Ich werde überall glücklich sein, verstehst du?«

Ich glaube auch, Mama liebte es nicht, mich immer in Reithosen und Stiefeln zu sehen wie meinen Vater und schätzte es wenig, daß ich fast meine ganze freie Zeit auf der Jagd verbrachte. Ich war ein Küchlein, mein Richter, aber ich wußte es nicht. Ich war ein ein Meter vierundachtzig großes und neunzig Kilo schweres Küchlein, ein Monstrum von einem Küchlein, das vor Kraft und Gesundheit strotzte und seiner Mutter wie ein kleines Kind gehorchte.

Ich grolle ihr deswegen nicht. Sie hat ihr Leben lang mich zu beschützen versucht. Sie ist nicht die einzige gewesen.

So daß ich mich manchmal frage, ob ich ein Zeichen an mir trug, das die Frauen, bestimmte Frauen, erkannten und das in ihnen das Verlangen weckte, mich gegen mich selbst zu schützen.

So etwas gibt es nicht, ich weiß. Aber wenn man auf sein Leben zurückblickt, ist man geneigt sich zu sagen:

»Es war so, als ob...«

Daß Mama nach dem Zwischenfall mit der kleinen Hure Angst gehabt hat, ist unbestreitbar. Sie war in solchen Dingen erfahren, sie, deren Mann für den verwegensten Schürzenjäger der Gegend galt. Wie oft hat man ihr nicht gesagt:

»Hör mal, meine arme Clemence, weißt du, daß dein Mann die Tochter von Charruau wieder geschwängert hat?«

Denn mein Vater »schwängerte« sie ohne Scham, auch wenn er danach ein Stück Land verkaufen mußte. Alle waren ihm recht, die jungen und die alten, die Huren und die unschuldigen Mädchen.

Und darum eben sollte ich mich wiederverheiraten.

*

Ich habe nie protestiert. Ich habe nicht nur nicht protestiert, sondern ich bin mir nicht einmal bewußt gewesen, zu etwas gezwungen zu werden. Und das, Sie werden es sehen, ist sehr wichtig. Ich bin kein Mensch, der sich auflehnt. Ich bin ganz das Gegenteil.

Mein Leben lang, ich glaube es Ihnen schon mehrmals gesagt zu haben, habe ich nur meine Pflicht erfüllen wollen und darin Genüge gefunden.

Ist in diesem Genüge-finden ein bitterer Nachgeschmack? Das ist eine andere Frage. Ich möchte sie lieber nicht gleich beantworten. Oft habe ich abends, wenn ich den farblosen, wie erloschenen Himmel betrachtete, an meinen Vater denken müssen, wie er vor dem Schober ausgestreckt im Grase lag.

Entgegnen Sie mir nicht, daß er, weil er trank und den Frauen nachlief, nicht sein Bestes tat. Er tat das, was er für sein Bestes hielt.

Nur, ich war sein Sohn. Ich stellte schon die zweite Generation dar, so wie Sie die dritte darstellen. Und wenn ich von mir in der Vergangenheit spreche, so darum, weil ich jetzt auf der anderen Seite stehe, und weil mich das alles nicht mehr betrifft.

Jahre und Jahre habe ich ohne Murren getan, was ich tun sollte. Ich bin ein ganz guter Student gewesen. Ich bin ein gewissenhafter Landarzt gewesen, trotz des Zwischenfalls mit der kleinen Hure.

Ich glaube sogar, ich bin ein guter Arzt. Vor meinen gelehrteren oder feierlicheren Kollegen schweige ich oder scherze. Ich lese keine medizinischen Zeitschriften. Ich nehme an keinen Kongressen teil. Wenn ich aus einer Krankheit einmal nicht klug werde, gehe ich unter irgendeinem Vorwand in das Nebenzimmer, um in meinem Savy nachzulesen.

Aber ich habe eine Witterung für die Krankheit. Ich spüre sie auf wie ein Hund, der Wild aufspürt. An dem ersten Tage, da ich Sie in Ihrem Arbeitszimmer im Justizpalast gesehen habe, habe ich... Sie werden über mich lachen. Nun, wenn schon. Ich sage Ihnen trotzdem, achten Sie auf Ihre Gallenblase. Und verzeihen Sie mir diese Anwandlung von beruflicher Eitelkeit, von Eitelkeit schlechthin. Muß mir nicht ein ganz klein bißchen bleiben, wie ich als Kind sagte?

Um so mehr, als wir jetzt zu Armande kommen, meiner zweiten Frau, die Sie im Zeugenstand gesehen haben.

Sie ist sehr anständig gewesen, alle sind sich darin einig, und ich sage das ohne die geringste Ironie. Sehr Arztfrau vielleicht. Aber das kann man ihr nicht zum Vorwurf machen.

Sie ist die Tochter eines Mannes, den man bei uns einen Grundbesitzer nennt, eines Mannes, der eine Anzahl von Höfen besitzt und in der Stadt von den Pachterträgen lebt. Ich weiß nicht, ob er wirklich adlig ist oder wie die meisten Krautjunker in der Vendée seinem Namen nur eine Partikel hinzugefügt hat. Jedenfalls nennt er sich Hilaire de Lanusse.

Haben Sie sie schön gefunden? Man hat mir so oft gesagt, sie sei schön, daß ich nicht mehr weiß, ob sie es wirklich ist oder nicht. Ich bin übrigens durchaus bereit, es zu glauben. Sie ist groß, gut gewachsen, aber jetzt eher füllig als schlank.

Die Mütter in La Roche-sur-Yon sagen gern zu ihren Töchtern:

»Lernt so zu gehen wie Frau Alavoine...«

Im Anfang hat Mama von ihr gesagt:

»Sie hat die Haltung einer Königin...«

Sie hat, Sie haben es gemerkt, einen großen Eindruck auf das Gericht, auf die Geschworenen und sogar auf die Journalisten gemacht. Als sie aussagte, habe ich gesehen, wie mich Leute neugierig musterten, und es war nicht schwer zu erraten, was sie dachten:

Wie hat dieser Bauer eine solche Frau finden können?

Das ist der Eindruck, mein Richter, den sie und ich immer gemacht haben. Was sage ich? Es ist der Eindruck, den sie immer auf mich gemacht hat und von dem mich zu befreien ich lange gebraucht habe.

Bin ich wirklich davon befreit? Ich werde wahrscheinlich noch einmal darauf zurückkommen. Es ist sehr kompliziert, aber ich glaube, daß ich schließlich dahintergekommen bin.

Kennen Sie La Roche-sur-Yon, und wäre es nur von der Durchreise? Es ist eine richtige Stadt. Napoleon hat sie aus strategischen Überlegungen gegründet, so daß ihr das fehlt, was unsere anderen Städte in Jahrhunderten zusammengetragen haben, die Spuren zahlreicher Generationen.

Dagegen fehlt es ihr nicht an Raum noch an Licht. Sie hat eher zuviel davon. Es ist eine helle Stadt mit weißen Häusern an sehr breiten Boulevards, mit geraden Straßen, durch die ewig ein Wind fegt.

Es gibt dort Kasernen — nun, die gibt's überall. Ferner das Reiterstandbild Napoleons mitten auf einem riesigen Platz, auf dem die Menschen wie Ameisen wirken; die Präfektur, die sich harmonisch in ihren schattigen Park einfügt. Eine Geschäftsstraße für die Bedürfnisse der Bauern, die zum allmonatlichen Markt kommen, ein von dorischen Säulen flankiertes winziges Theater, ein Postamt, ein Krankenhaus, etwa dreißig Ärzte, drei oder vier Anwälte, Notare, Grundstücksmakler, Produktenhändler, Geschäfte für landwirtschaftliche Maschinen und ein Dutzend Versicherungsagenten.

Nehmen Sie noch die beiden Stammcafés gegenüber dem Standbild Napoleons hinzu, ganz in der Nähe des Justizgebäudes, dessen Innenhof dem eines Klosters ähnelt, ein paar Bistros um den Marktplatz herum, und Sie haben die ganze Stadt.

Wir sind im Mai dorthin gezogen, meine Mutter, meine beiden Töchter und ich, in ein fast neues Haus, in einer stillen Straße mit einem kleinen Rasen und geschnittenen Eiben davor. Ein Schlosser hat an dem Tor ein hübsches Messingschild angebracht, auf dem mein Name, »praktischer Arzt« und meine Sprechstunden standen.

Zum erstenmal hatten wir einen großen Salon, einen wirklichen Salon mit weißen Paneelen und Spiegeln über den Türen, aber es dauerte mehrere Monate, bis wir das nötige Geld hatten, um ihn einzurichten. Zum erstenmal hatten wir auch im Eßzimmer eine elektrische Klingel, um das Mädchen zu rufen.

Und wir haben sofort ein Mädchen genommen, denn in La Roche hätte es sich nicht gehört, daß meine Mutter den Haushalt selber besorgte. Sie tat es natürlich trotzdem, aber dank dem Mädchen war der Schein gewahrt.

Es ist seltsam, daß ich mich an dieses Mädchen kaum erinnere. Sie muß mittleren Alters gewesen sein. Meine Mutter sagt, sie sei uns sehr ergeben gewesen, und ich habe keinen Grund, daran zu zweifeln.

Sehr deutlich dagegen erinnere ich mich an die beiden großen blühenden Fliedersträucher, die das Eingangstor flankierten. Die Patienten gingen durch dieses Tor, und man hörte ihre Schritte auf dem Kies des Weges, den ihnen ein Pfeil wies und auf dem sie statt zur Haustür ins Wartezimmer gelangten, an dessen Tür sich eine elektrische

Klingel befand, so daß ich von meinem Sprechzimmer aus meine Patienten zählen konnte, was ich lange nicht ohne eine gewisse Beklommenheit getan habe, denn ich war nicht sicher, ob ich mich in der Stadt durchsetzen würde.

Es ist aber alles sehr gut gegangen. Ich war zufrieden. Unsere alten Möbel paßten zwar kaum in das Haus, und Abend für Abend unterhielten sich Mama und ich darüber, was wir je nach den einkommenden Einnahmen kaufen würden.

Ich kannte meine Kollegen, schon bevor ich mich dort niederließ, aber eben so, wie ein kleiner Landarzt die Ärzte der Kreisstadt kennt. Wir mußten sie einladen. Alle meine Freunde sagten mir, das sei unerläßlich. Wir hatten große Angst davor, meine Mutter und ich, aber wir haben dennoch beschlossen, einen Bridgeabend zu geben und dazu mehr als dreißig Personen einzuladen.

Langweilt es Sie nicht, daß ich Ihnen diese kleinen Einzelheiten berichte? Das ganze Haus war mehrere Tage lang auf den Kopf gestellt. Ich kümmerte mich um die Weine, die Liköre und die Zigarren, Mama um die Sandwiches und Petits fours.

Wir fragten uns, wie viele kommen würden, aber es kamen alle und sogar einer mehr. Und diese Person, die wir nicht kannten, von der wir noch nie gehört hatten, war Armande.

Sie begleitete einen meiner Kollegen, einen Hals-, Nasen- und Ohrenarzt, der es sich zur Aufgabe gemacht hatte, sie auf andere Gedanken zu bringen, denn sie war seit ungefähr einem Jahr Witwe. Die meisten meiner Freunde in La Roche-sur-Yon lösten einander ab, um sie auszuführen, um sie von ihrem Kummer abzulenken.

War das wirklich notwendig? Ich weiß es nicht. Ich weiß nur, daß sie schwarz gekleidet war, mit ein wenig lila Besatz, und daß sie sehr sorgfältig frisiertes dichtes blondes Haar hatte. Sie sprach wenig. Dagegen beobachtete sie und sah alles, besonders das, was sie nicht hätte sehen sollen, und ein leichtes Lächeln huschte dann über ihre Lippen,

zum Beispiel als Mama winzige Würstchen gereicht hat —
der Traiteur hatte ihr versichert, das sei sehr schick — und
unsere schönen Silbergabeln dazu legte, statt sie auf kleine
Stäbe gespießt zu haben.

Durch ihre Anwesenheit und ihr vages Lächeln ist mir
plötzlich die Leere unseres Hauses bewußt geworden, unsere wenigen Möbel sind mir lächerlich erschienen, und
ich hatte das Gefühl, die Stimmen hallten an allen Wänden wider wie in unbewohnten Räumen.

Die Wände waren fast kahl. Wir hatten nie Bilder besessen. Wir hatten nie daran gedacht, welche zu kaufen. In
Bourgneuf hingen in unseren Zimmern fotografische Ver-
größerungen und Kalender. In Ormois hatte ich einige
aus Kunstzeitschriften, die die Fabrikanten pharmazeu-
tischer Produkte für Ärzte herausgeben, ausgeschnittene
Reproduktionen einrahmen lassen.

Nur ein paar davon hingen hier noch an den Wänden,
und an jenem Abend ist mir der Gedanke gekommen, daß
meine Gäste sie kannten, weil alle oder fast alle die gleichen Zeitschriften bekamen. Es war Armandes Lächeln,
das mir die Augen öffnete. Und dennoch war es ein äußerst
wohlwollendes Lächeln. Sollte ich lieber sagen: ein ironisch herablassendes? Mir hatte immer vor Ironie gegraut. Jedenfalls fühlte ich mich sehr unbehaglich.

Ich wollte nicht Bridge spielen, denn in jener Zeit war ich
nur ein mittelmäßiger Spieler.

»Aber natürlich spielen Sie«, sagte sie. »Ich muß Sie unbedingt als Partner haben. Sie werden sehen, es wird sehr
gut gehen...«

Mama eilte geschäftig hin und her, zitternd in dem Gedanken, daß sie etwas verkehrt machen und mir dadurch
schaden könnte. Sie entschuldigte sich für alles. Sie entschuldigte sich zuviel, mit einer Demut, die peinlich wurde. Man merkte so deutlich, daß sie an solche Gesellschaf-
ten nicht gewöhnt war.

Nie in meinem Leben habe ich so schlecht gespielt wie an
jenem Abend. Die Karten verschwammen vor meinen

Augen. Ich vergaß anzusagen. Wenn ich ausspielen mußte, zögerte ich, sah meine Partnerin an, und ihr ermunterndes Lächeln ließ mich noch mehr erröten.

»Nehmen Sie sich Zeit«, sagte sie. »Lassen Sie sich nicht von den Herren ins Bockshorn jagen.«

Es hat auch noch eine unangenehme Geschichte mit Brötchen gegeben, die mit wirklich zu stark gesalzenem Räucherlachs belegt waren. Da weder meine Mutter noch ich davon gegessen haben, haben wir es zum Glück an dem Abend nicht gemerkt. Aber am nächsten Tage hat meine Mutter ich weiß nicht wie viele dieser Brötchen wiedergefunden, die die Gäste diskret hinter Schränken und Vorhängen hatten verschwinden lassen.

Mehrere Tage lang habe ich mich gefragt, ob Armande eins gegessen hatte. Ich war nicht in sie verliebt. Ich dachte vielmehr mit Ärger an sie und grollte ihr, daß sie mich meine Unbeholfenheit und Tapsigkeit hatte fühlen lassen. Und gerade weil sie sie mich mit diesem wohlwollenden Lächeln hatte fühlen lassen!

Am nächsten Tage habe ich im Café, wohin ich fast jeden Abend ging, um einen Aperitif zu trinken, einiges über sie und ihr Leben erfahren.

Hilaire de Lanusse hatte vier oder fünf Kinder, ich weiß nicht mehr genau wie viele. Sie waren alle schon verheiratet, ehe Armande ihr zwanzigstes Lebensjahr erreicht hatte. Sie hatte nacheinander Gesangs-, Schauspiel-, Musik- und Tanzunterricht genommen. Sie lebte in dem großen Haus an der Place Boildieu so frei und ungebunden wie in einer Familienpension.

Sie heiratete dann einen Musiker russischer Abkunft, der mit ihr nach Paris zog, wo sie sechs oder sieben Jahre mit ihm zusammenlebte. Ich kenne ihn von seinen Fotos. Er war jung, hatte ein erstaunlich langes und schmales Gesicht, in dem sich Heimweh und Melancholie spiegelten. Er war lungenkrank.

Um ihm einen Aufenthalt in der Schweiz zu ermöglichen, hat Armande ihren Anteil vom Erbe ihrer Mutter gefordert, und von diesem Geld haben sie noch drei Jahre, allein in einem Chalet, im Hochgebirge gelebt.

Er ist dort gestorben, aber erst ein paar Monate später ist sie in das Haus ihres Vaters zurückgekehrt.

Ich habe sie eine Woche lang nicht wiedergesehen, und wenn ich an sie dachte, war die Erinnerung an sie mit der an unsere erste Gesellschaft verknüpft, und ich überlegte, was meine Mutter und ich falsch gemacht hatten.

Als ich eines Abends im Café de l'Europe meinen Aperitif trank, sah ich sie durch den Vorhang auf dem Gehsteig vorübergehen. Sie war allein. Sie ging, ohne jemanden zu sehen. Sie trug ein schwarzes Kostüm von einem so eleganten und schlichten Schnitt, wie man ihn selten in kleinen Provinzstädten sieht.

Ich war nicht im geringsten erregt. Ich habe nur an die heimlich fortgeworfenen Brötchen gedacht, und mir ist dabei heiß und kalt geworden.

Bei einem Bridgeabend, den ein anderer Arzt einige Tage später gab, habe ich wieder am gleichen Tisch gesessen wie sie.

Ich kenne die Pariser Bräuche schlecht. Bei uns gibt jeder Arzt, jeder, der dem gleichen Milieu angehört, mindestens einen Bridgeabend in der Saison, so daß man sich ein- oder zweimal wöchentlich bei dem einen oder anderen trifft.

»Wie geht es Ihren kleinen Töchtern? Denn ich habe gehört, daß Sie zwei reizende kleine Mädchen haben.«

Man hatte mit ihr über mich gesprochen. Mich machte das verlegen.

Was mochte man ihr gesagt haben?

Sie war kein junges Mädchen mehr. Sie war dreißig Jahre alt. Sie war verheiratet gewesen. Sie besaß mehr Lebenserfahrung als ich, der ich ein wenig älter war als sie, und man spürte das in jedem Wort, in jedem Blick, in ihrer ganzen Haltung.

Ich hatte das Gefühl, daß sie mich ein wenig unter ihre Fittiche nahm.

Einige Zeit danach, nachdem wir uns nur noch etwa viermal begegnet waren, ist meine ältere Tochter, Annemarie, an Diphtherie erkrankt. Meine Töchter haben wie die meisten Arztkinder in ihrer Jugend sich alle Infektionskrankheiten geholt.

Ich wollte sie nicht ins Krankenhaus bringen, das in jener Zeit nicht nach meinem Geschmack geführt wurde, und in den Privatkliniken war kein Bett frei.

Ich habe darum beschlossen, Annemarie im Hause zu isolieren, und da ich sie nicht selber behandeln wollte, habe ich meinen Freund, den Hals-, Nasen- und Ohrenarzt gerufen.

Dambois ist sein Name. Er hat gewiß die Berichte über meinen Prozeß voller Interesse gelesen. Er ist groß und mager, hat einen übermäßig langen Hals, einen hervorstehenden Adamsapfel und Clownsaugen.

»Vor allem«, hat er zu mir gesagt, »muß man eine Schwester finden. Ich werde gleich telefonisch versuchen, eine aufzutreiben, aber ich bezweifle, daß es mir gelingt...«

Im ganzen Departement herrschte nämlich Diphtherie, und es war nicht einmal leicht, das Serum zu beschaffen.

»Es ist jedenfalls unmöglich, daß Ihre Mama weiter die Kranke pflegt und sich zugleich Ihrer jüngeren Tochter annimmt. Ich weiß noch nicht, was ich tun werde, aber ich werde mich darum kümmern. Sie können sich auf mich verlassen, mein Lieber...«

Ich hatte Angst. Ich wußte nicht mehr, wo mir der Kopf stand. Um die Wahrheit zu sagen, ich verließ mich ganz auf Dambois. Ich hatte keinen eigenen Willen mehr.

»Hallo... Sind Sie's, Alavoine?... Hier Dambois...«

Vor einer halben Stunde hatte er das Haus verlassen.

»Ich habe eine Lösung gefunden. Wie ich es mir schon dachte, ist weder hier noch in Nantes, wo die Epidemie noch ernster ist als hier, eine Schwester aufzutreiben... Armande, die gerade bei mir war, als ich telefonierte, hat sich spontan erboten, die Pflege Ihrer Tochter zu übernehmen... Sie weiß mit Kranken umzugehen... Sie ist intelligent... Sie hat die nötige Geduld... Sie wird in ein oder zwei Stunden bei Ihnen sein... Sie brauchen ihr nur ein Feldbett im Zimmer Ihrer kleinen Kranken aufzuschlagen... Aber nein, mein Lieber, es ist ihr keineswegs unangenehm... im Gegenteil... Unter uns will ich Ihnen gestehen, daß ich hoch beglückt darüber bin, denn das wird sie auf andere Gedanken bringen... Sie kennen sie nicht... Die Leute glauben, weil sie lächelt, sie habe ihr inneres Gleichgewicht wiedergefunden... Meine Frau und ich, die sie jeden Tag sehen und sie genau kennen, wissen, daß sie sehr einsam ist, und ich sage Ihnen im Vertrauen, wir haben lange geglaubt, es würde ein schlimmes Ende nehmen... Also keine Skrupel...

Sie machen es ihr leicht, wenn Sie sie wie eine gewöhnliche Schwester behandeln, wenn Sie sich nicht um sie kümmern, wenn Sie ihr, was die Kranke betrifft, vertrauen...

Ich muß jetzt einhängen, mein Lieber, denn sie ist unten mit meiner Frau und wartet auf Ihre Antwort, um dann ihren Koffer zu packen...

Sie wird also in ein oder zwei Stunden bei Ihnen sein...

Sie hat viel Sympathie für Sie... Aber ja... Sie kann nur ihre wahren Gefühle schwer zeigen...

Das Serum werden wir heute abend bekommen... Kümmern Sie sich um Ihre Kranken, und das übrige lassen Sie uns machen...«

Ja, und so, mein Richter, ist Armande mit einer kleinen Reisetasche in der Hand in unser Haus gekommen. Als erstes hat sie einen weißen Kittel angezogen und einen Schleier um ihr blondes Haar gebunden.

»Sie dürfen um keinen Preis mehr dieses Zimmer betreten, Madame«, hat sie zu meiner Mutter gesagt. »Sie wissen, es geht um die Gesundheit Ihrer zweiten Enkelin. Ich habe einen elektrischen Kocher und alles Notwendige mitgebracht.«

Ein paar Minuten später habe ich Mama weinend im Flur vor der Küche gefunden. Sie wollte weder vor dem Mädchen noch vor mir weinen.

»Was hast du?«

»Nichts«, erwiderte sie schnüffelnd.

»Annemarie wird sehr gut gepflegt werden...«

»Ja...«

»Dambois versichert, daß sie nicht in Gefahr ist, und er würde das nicht sagen, wenn er den geringsten Zweifel hätte.«

»Ich weiß...«

»Warum weinst du?«

»Ich weine nicht...«

Arme Mama. Sie wußte genau, daß jene, die eben ins Haus gekommen war, einen stärkeren Willen hatte als sie und daß sie vom ersten Tage an von ihr in den Hintergrund gedrängt wurde.

Und wissen Sie, mein Richter, was meiner Meinung nach das Schwerste für meine Mutter war? Daß die andere sogar daran gedacht hatte, einen elektrischen Kocher mitzubringen! Die andere hatte an alles gedacht, verstehen Sie? Sie brauchte niemanden. Sie wollte niemanden brauchen.

VIERTES KAPITEL

Das hat sich in der zweiten Nacht ereignet. Sicherlich hat sie an die Tür geklopft, hat aber nicht auf Antwort gewartet. Ohne den Wandschalter zu drehen, hat sie die Nachttischlampe angeknipst, als ob ihr das Zimmer vertraut wäre. Ich habe zwar undeutlich gespürt, daß mich jemand an der Schulter berührte, aber ich habe einen tiefen Schlaf. Als ich schließlich die Augen aufgeschlagen habe, saß sie im weißen Kittel mit ihrem Schleier auf dem Kopf am Rand meines Betts und sagte ruhig und heiter: »Beunruhigen Sie sich nicht, Charles. Ich möchte nur etwas mit Ihnen besprechen.«

Man hörte im Hause Geräusche wie das Rascheln von Mäusen. Es war wahrscheinlich meine Mutter, die immer kaum schläft und gewiß auf der Lauer lag.

Es war das erstemal, daß Armande mich Charles nannte. »Annemarie geht's nicht schlechter, Sie brauchen nichts zu befürchten . . .«

Sie hatte unter ihrem Schwesternkittel kein Kleid an.

»Henri ist bestimmt ein ausgezeichneter Arzt«, fuhr sie fort, »und ich möchte ihm keinen Kummer machen. Ich habe vorhin mit ihm darüber gesprochen, aber er scheint es nicht verstanden zu haben. Als Arzt ist er schüchtern, und er fühlt sich doppelt verantwortlich, weil Sie sein Kollege sind . . .«

Ich hätte viel darum gegeben, mir mit einem Kamm durchs Haar fahren und die Zähne putzen zu können, aber meines zerknitterten Pyjamas wegen mußte ich unter der Decke bleiben. Sie reichte mir ein Glas Wasser und sagte: »Eine Zigarette?«

Sie hat sich auch eine angesteckt.

»In der Schweiz habe ich einmal ein Kind gepflegt, das auch an Diphtherie erkrankt war. Es war die Tochter einer unserer Nachbarinnen. Ich kenne mich darum ein wenig darin aus. Außerdem waren wir mit vielen Ärzten befreundet, mein Mann und ich, darunter ein paar Professoren, und wir haben viele Abende mit ihnen diskutiert . . .«

Meine Mutter muß Angst gehabt haben. Ich habe sie plötzlich aschfahl in der offen gebliebenen Tür stehen sehen. Sie war im Morgenrock und hatte die Haare aufgewickelt.

»Beunruhigen Sie sich nicht, Madame. Ich wollte nur mit Ihrem Sohn darüber sprechen, wie man die Krankheit am besten behandelt . . .«

Mama blickte auf unsere beiden Zigaretten, deren Rauch sich im Schein der Nachttischlampe vermischte. Ich bin sicher, das hat sie am meisten schockiert. Wir rauchten zusammen morgens um drei Uhr in meinem Schlafzimmer Zigaretten.

»Ich wußte nicht, was war. Entschuldigen Sie. Ich habe ein Geräusch gehört und bin gekommen, um zu sehen . . .«

Sie verschwand, und Armande fuhr fort, als ob wir nicht unterbrochen worden wären:

62

»Henri hat ihr zwanzigtausend Einheiten Serum injiziert. Ich habe nicht gewagt, ihm zu widersprechen. Sie haben die Temperatur heute abend gesehen . . .«

»Gehen wir in mein Sprechzimmer hinunter«, sagte ich.

Sie drehte sich um, während ich einen Morgenrock überstreifte.

Unten konnte ich mir eine Pfeife stopfen, was mir mein inneres Gleichgewicht wiedergab.

»Wie hoch ist das Fieber heute nacht?«

»Vierzig. Darum habe ich Sie geweckt. Die meisten der Professoren, die ich kenne, haben von der Anwendung des Serums eine andere Vorstellung als Henri. Der eine von ihnen sagte uns oft: ›Eine starke Dosis oder gar nichts.‹ . . .«

Drei Jahre lang hatte ich in Nantes meinen guten Lehrer Chevalier mit seiner hellen Stimme uns das gleiche einhämmern hören, und er fügte mit seiner legendären Brutalität hinzu:

»Wenn der Kranke dabei krepiert, ist es seine Schuld.«

Ich bemerkte, daß zwei oder drei meiner therapeutischen Bücher in den Regalen fehlten, und mir wurde klar, daß Armande hinuntergegangen war, um sie zu holen. Zehn Minuten sprach sie mit mir über die Diphtherie, als ob ich keine Ahnung davon hätte.

»Sie können natürlich Dr. Dambois anrufen. Aber vielleicht wäre es einfacher und weniger kränkend für ihn, wenn Sie es auf Ihre Kappe nähmen, dem Kind noch eine Serumspritze zu geben.«

Das war eine ernste Entscheidung. Es handelte sich um meine Tochter. Es handelte sich anderseits um einen Kollegen, um eine schwere berufliche Verantwortung, um etwas, das man zumindest als ein rücksichtsloses Verhalten dem anderen gegenüber bezeichnen mußte.

»Sehen Sie sie einmal an . . .«

Das Zimmer meiner Tochter war schon Armandes Reich, in dem sie nach ihrem Belieben schaltete und waltete. Warum spürte man das gleich, wenn man hereinkam? Und warum war es trotz des Geruchs nach Krankheit und Medikamenten ihr Geruch, der mir auffiel, obwohl das Feldbett noch nicht benutzt worden war?

»Lesen Sie diese Stelle... Sie werden sehen, fast alle Kapazitäten sind der gleichen Meinung...«

Heute nacht, mein Richter, frage ich mich, ob ich nicht wirklich die Seele eines Verbrechers habe. Ich habe mich gefügt. Ich habe getan, was ich nach ihrem Beschluß tun sollte. Nicht, weil ich daran glaubte, nicht dessentwegen, was mein Lehrer Chevalier uns über das Serum gelehrt hatte, nicht der Texte wegen, die sie mir zu lesen gab.

Ich habe mich gefügt, weil sie es wollte.

Ich war mir dessen voll bewußt. Das Leben meiner älteren Tochter stand auf dem Spiel. Ich beging als Arzt und Kollege einen schweren Fehler.

Ich habe es getan, und ich wußte, daß es falsch war. Ich wußte es so genau, daß ich zitterte, als ich von neuem die gespenstische Gestalt meiner Mutter erscheinen sah.

Zehntausend Einheiten mehr! Armande half mir, die Spritze zu machen.

Ihr Haar berührte dabei mein Gesicht.

Das hat mich nicht erregt. Ich begehrte sie nicht, und ich glaube, ich wußte bereits, daß ich sie nie begehren würde.

»So, und nun legen Sie sich wieder hin. Ihre Sprechstunde beginnt um acht Uhr.«

Ich habe schlecht geschlafen. In meinem Halbschlaf hatte ich das Gefühl, daß es unvermeidlich gewesen war. Glauben Sie nicht, daß ich das hinterher erfinde. Trotz meiner Sorge und meines Unbehagens war ich ganz froh. Ich sagte mir: ›Nicht ich habe es getan, sondern sie hat es getan.‹

Als ich am Morgen hinunterging, schöpfte Armande im Garten Luft und hatte ein Kleid unter ihrem Kittel an.

»39,2«, sagte sie freudig zu mir. »Sie hat gegen Ende der Nacht so stark geschwitzt, daß ich zweimal die Laken wechseln mußte.«

Wir haben beide Dambois nichts gesagt. Armande fiel das Schweigen nicht schwer, aber ich mußte mich jedesmal, wenn ich ihn sah, auf die Zunge beißen.

Das, was ich Ihnen eben berichtet habe, mein Richter, ist die ganze Geschichte meiner Ehe. Sie ist zu uns gekommen, ohne daß ich sie darum bat, ohne daß ich sie begehrte. Schon am zweiten Tage war sie es, die alle Entscheidungen traf oder mich dazu zwang, sie zu treffen.

Seit sie da war, hatte sich Mama in eine kleine, verängstigte graue Maus verwandelt, die man leise an den Türen vorüberhuschen sah, und sie verfiel wieder in ihre Gewohnheit, sich bei jeder Gelegenheit zu entschuldigen.

Dennoch, im Anfang hat Armande Mama für sich gewonnen. Sie kennen sie nur als die vierzigjährige Frau, die Sie im Gerichtssaal gesehen haben. Aber schon vor zehn Jahren besaß sie die gleiche Sicherheit, die gleiche angeborene Gabe, alles rings um sich zu beherrschen, ohne daß es so wirkte. Sie war damals innerlich und äußerlich nur etwas zarter als heute.

Das Mädchen ging ganz selbstverständlich zu ihr, um sich von ihr Anweisungen geben zu lassen, und zehnmal am Tage wiederholte es:

»Frau Armande hat gesagt, daß ... Frau Armande hat bestimmt ...«

Ich habe mich später manchmal gefragt, ob sie einen Hintergedanken hatte, als sie unter dem Vorwand, Annemarie zu pflegen, zu uns kam.

Das ist blöde, ich gebe es zu. Unzählige Male habe ich über diese Frage gegrübelt. Es steht fest, daß sie das Erbe ihrer Mutter dafür ausgegeben hatte, ihren ersten Mann zu pflegen, und daß sie ihrem Vater auf der Tasche lag. Aber dieser besaß ein schönes Vermögen, das nach seinem Tode, selbst wenn es unter fünf Kinder geteilt wurde, für jeden eine beträchtliche Summe darstellen würde.

Ich habe mir auch gesagt, daß der Alte wunderlich und herrisch war. Man nannte ihn ein Original, was bei uns vielerlei bedeutet. Sie hätte gewiß nur ihre Zeit vergeudet, wenn sie versucht hätte, ihn zu beherrschen, und ich bin davon überzeugt, daß sie sich in dem Hause an der Place Boildieu ganz klein machen mußte.

Ist das der Schlüssel zu dem Problem? Ich war nicht reich. Mein Beruf, den ich als einer sich seiner Grenzen bewußter Mann ausübte, gehört nicht zu jenen, die einem erlauben, ein Vermögen zu erwerben oder üppig zu leben.

Ich bin nicht schön, mein Richter. Ich habe mich sogar zu den kühnsten Hypothesen vorgewagt. Mein schwerer Bauernkörper, mein von Gesundheit strotzendes Gesicht ... Sie wissen bestimmt, daß gewisse Frauen und gerade die gebildetsten ...

Aber nein! Ich weiß es jetzt. Armande ist sexuell völlig normal.

Es bleibt nur noch eine Erklärung. Sie lebte bei ihrem Vater, wie sie in einer Pension gelebt hätte. Es war nicht mehr ihr »Zuhause«.

Sie ist durch einen Zufall in unser Haus gekommen. Und es kommt noch etwas hinzu. Ich will Ihnen alles sagen, was ich denke, auch wenn Sie die Schultern zucken. Ich habe Ihnen von dem Bridgeabend erzählt, als sie uns zum erstenmal besuchte. Ich habe Ihnen gesagt, daß sie alles sah, daß sie alles um sich herum mit einem leichten Lächeln auf den Lippen beobachtete.

Eine ganz kleine Einzelheit fällt mir wieder ein. Meine Mutter hat, auf den noch kahlen Salon deutend, gesagt:
»Wir werden wahrscheinlich den Salon kaufen, der in der letzten Woche bei Durand-Weil ausgestellt war.«
Ein imitierter Beauvais-Salon mit Sesseln, die goldene Füße hatten.

Die Nase Armandes, die uns bis dahin noch gar nicht kannte, die gerade erst hereingekommen war, hat sich leicht gekräuselt.

Auch wenn ich ein Idiot bin, mein Richter, ich sage Ihnen: In diesem Augenblick wußte Armande ganz genau, daß wir den Salon bei Durand-Weil nicht kaufen würden.

Ich behaupte nicht, daß sie etwas im Schilde führte. Ich behaupte nicht, daß sie wußte, daß sie mich heiraten würde. Trotzdem möchte ich das Wort ›wußte‹ betonen.

Wie alle Bauern bin ich an den Umgang mit Tieren gewöhnt. Wir haben unser Leben lang Hunde und Katzen gehabt, und sie gehörten so sehr zu unserem Leben, daß, wenn meine Mutter sich an einem bestimmten Zeitpunkt zu erinnern versucht, sie zum Beispiel sagt:

»Das war in dem Jahr, als wir unseren armen Brutus verloren haben ...«

Oder:

»Das war, als die schwarze Katze ihre Jungen auf dem Schrank bekommen hat ...«

Aber es kommt auf dem Lande vor, daß ein Tier Ihnen nachläuft, Ihnen und keinem anderen, daß es hinter Ihnen sich in Ihr Haus schleicht und beschließt, als gäbe es daran nichts zu zweifeln, daß dies fortan sein Haus sein wird. Wir haben so drei Jahre lang in Bourgneuf einen halbblinden, alten gelben Hund behalten, den die Hunde meines Vaters dulden mußten.

Er war obendrein unsauber, und oft habe ich meinen Vater sagen hören:

»Es wäre das Beste, ich schösse ihm eine Kugel in den Kopf.«

Aber er hat es nicht getan. Das Tier, das wir Jaunisse genannt hatten, ist einen schönen Tod getorben oder vielmehr einen häßlichen, denn sein Todeskampf hat drei Tage gedauert, drei Tage, in denen meine Mutter ihm immer wieder heiße Umschläge auf den Bauch machte.

Auch ich habe später manchmal gedacht:

Das Beste wäre, ich schösse ihr eine Kugel in den Kopf. Ich habe es nicht getan. Es war eine andere, die ...

Was ich Ihnen verständlich zu machen versuche, mein Richter, ist, daß sie wie selbstverständlich zu uns gekommen und wie selbstverständlich dort geblieben ist.

Schon in den ersten Tagen wurde es für meine Freunde zur Gewohnheit, mich zu fragen:

»Wie geht es Armande?«

Es schien ihnen ganz natürlich, sich bei mir, da sie jetzt bei mir war, nach ihrer Gesundheit zu erkundigen.

Nach vierzehn Tagen sagte man ebenso natürlich und dennoch mit einem Hintergedanken:

»Das ist eine erstaunliche Frau.«

Man hätte glauben können, daß man mich schon als ihren Besitzer betrachtete. Selbst meine Mutter ... Ich habe Ihnen schon so viel von ihr gesagt, daß Sie sie nachgerade kennen ... Ihren Sohn verheiraten, weil er nicht hatte Pfarrer werden wollen ... Unter der ausdrücklichen Bedingung, daß das Haus das ihre blieb und daß sie den Haushalt weiter nach ihrem Belieben führen konnte ... Nun, mein Richter, meine Mutter hat eines Abends — Armande war da noch als freiwillige Krankenpflegerin bei uns —, als ich mich darüber wunderte, daß die Erbsen anders gekocht waren als sonst, gesagt:

»Ich habe Armande gefragt, wie sie sie gern esse. Sie hat mir das Rezept gegeben. Magst du sie nicht?«

Armande hat mich von Anfang an Charles genannt und hat mich gebeten, sie auch mit ihrem Vornamen anzureden. Sie war nicht kokett. Selbst als wir schon verheiratet waren, ging sie immer ziemlich streng gekleidet, und ich erinnere mich einer Bemerkung, die ich über sie hörte:

»Frau Alavoine wirkt wie eine wandelnde Statue.«

Nachdem Annemarie genesen war, kam Armande weiter fast jeden Tag, um nach ihr zu sehen. Da Mama kaum Zeit hatte, mit den Kindern auszugehen, holte Armande sie ab und ging mit ihnen im Park der Präfektur spazieren. Meine Mutter hat zu mir gesagt:

»Sie liebt deine Töchter sehr.«

Einer meiner Patienten hat ahnungslos bemerkt:

»Ich bin eben Ihrer Frau und Ihren Töchtern begegnet, die in die Rue de la République einbogen.«

Und als wir eines Tages alle bei Tisch saßen, hat Annemarie todernst gesagt:

»Mama Armande hat mir erzählt ...«

Als wir sechs Monate später heirateten, herrschte sie schon lange über Haus und Familie, und es fehlte nicht viel und die Leute in der Stadt hätten, wenn sie von mir sprachen, nicht gesagt: »Dr. Alavoine«, sondern: »der künftige Mann Frau Armandes ...«

Habe ich das Recht zu behaupten, ich hätte das nicht gewollt? Ich war einverstanden. Zunächst einmal waren da meine beiden Töchter.

»Sie werden so glücklich sein, wieder eine Mama zu haben...«

Meine Mutter begann alt zu werden, wollte es aber nicht zugeben. Sie war von morgens bis abends auf den Beinen und erschöpfte sich dabei.

Ich muß unbedingt aufrichtig sein. Sonst, mein Richter, hätte es keinen Sinn, Ihnen zu schreiben. Ich will Ihnen in zwei Worten meine damalige innere Verfassung umreißen.

Erstens: Feigheit.

Zweitens: Eitelkeit.

Feigheit, weil ich nicht den Mut hatte, nein zu sagen. Alle waren gegen mich, alle drängten mich wie in stummer Vereinbarung zu dieser Heirat.

Aber ich begehrte diese so erstaunliche Frau nicht. Ich hatte übrigens auch Jeanne nicht begehrt, meine erste Frau, aber damals war ich jung und heiratete, um zu heiraten. Ich wußte nicht, als ich sie heiratete, daß sie einen guten Teil meines Selbst unerfüllt lassen und ich immer unter der Versuchung leiden würde, sie zu betrügen.

Bei Armande wußte ich es. Ich will Ihnen etwas Lächerliches gestehen. Ich hätte lieber Lorette, das Mädchen aus Ormois mit den dicken weißen Schenkeln, als die Tochter Hilaire de Lanusses geheiratet.

Ach, was sage ich. Ich hätte ihr sogar das kleine Mädchen Lucille vorgezogen, mit der ich mich manchmal vergnügte, ohne daß sie die Zeit hatte, einen Schuh, den sie gerade putzte, auf den Boden zu stellen.

Aber ich hatte mich inzwischen in der Stadt niedergelassen. Ich bewohnte ein hübsches Haus. Das Geräusch der Schritte auf dem Kies der Wege war für mich wie ein Zeichen des Luxus, und ich habe mir schließlich ein Gerät geleistet, mit dem ich schon lange geliebäugelt hatte: einen sich drehenden Rasensprenger.

Sie sehen, ich bemühe mich ehrlich, der Wahrheit so nahe

wie möglich zu kommen. Gott weiß, ob in der Lage, in der ich jetzt bin, ein wenig mehr oder weniger von Bedeutung ist. Ich halte mich für so aufrichtig, wie ein Mensch es sein kann. Und ich sehe alles so klar und nüchtern, wie man es nur sieht, wenn man erst einmal auf der anderen Seite steht.

Dennoch bin ich mir meiner Ohnmacht bewußt. Alles, was ich Ihnen gesagt habe, ist wahr und ist falsch. Aber an so vielen Abenden, wenn ich im gleichen Bett mit Armande lag und den Schlaf suchte, habe ich mir die Frage gestellt, habe ich mich gefragt, warum sie da war.

Und ich frage mich jetzt, mein Richter, und das ist noch ernster, ob Sie, nachdem Sie meinen Brief gelesen haben, sich nicht vielleicht die gleiche Frage stellen werden, nicht in Bezug auf mich, sondern in Bezug auf Sie selbst.

Ich habe sie geheiratet.

Und dann? Am gleichen Abend habe ich mit ihr geschlafen. Es war für sie ebenso peinlich wie für mich. Ich spürte, daß ich schwitzte — ich schwitze sehr leicht —, und ich merkte, daß ich mich linkisch und unerfahren anstellte.

Wissen Sie, was mir am schwersten gefallen ist? Sie auf den Mund zu küssen. Ihres Lächelns wegen. Denn sie hat Tag und Nacht das gleiche Lächeln, das ihr natürlicher Ausdruck ist, aber es ist nicht leicht, ein solches Lächeln zu küssen.

Nach zehn Jahren hatte ich noch das Gefühl, daß sie, wenn ich mit ihr schlief, sich über mich mokierte.

Wieviele Gedanken habe ich mir ihretwegen gemacht! Sie kennen unser Haus nicht. Jeder wird Ihnen sagen, daß es eins der angenehmsten Häuser in La Roche-sur-Yon geworden ist. Selbst unsere wenigen alten Möbel, die dort noch stehen, haben ein so neues Aussehen bekommen, daß meine Mutter und ich sie kaum wiedererkennen.

Nun, für mich ist es immer ihr Haus gewesen.

Man ißt dort gut, aber es ist ihre Küche.

Die Freunde? Nach einem Jahr betrachtete ich sie nicht mehr als meine Freunde, sondern als ihre Freunde.

Und später, als das alles geschehen ist, haben sie übrigens alle ihre Partei genommen, auch jene, die ich für meine Vertrauten hielt, jene, die ich schon als Student, ja als Junge gekannt hatte.

»Du hast Schwein, daß du eine solche Frau gefunden hast.«

Ja, mein Richter, ja, meine Herren. Ich bin mir dessen demütig bewußt. Und weil ich mir schon zehn Jahre lang, Tag für Tag, dessen bewußt gewesen bin ... Ach, ich verliere wieder einmal den Faden. Aber ich habe so sehr das Gefühl, daß es nur einer winzigen Anstrengung bedürfte, um ein für allemal alles zu erklären.

In der Medizin kommt es vor allem auf die Diagnose an. Wenn eine Krankheit entdeckt ist, ist es nur noch eine Frage der Routine oder des Operationsmessers. Und gerade eine Diagnose zu stellen bemühe ich mich.

Ich habe Jeanne nicht geliebt, und ich habe mich nie gefragt, ob ich sie liebte. Ich habe keins der Mädchen geliebt, mit denen ich gelegentlich schlief. Es verlangte mich überhaupt nicht nach Liebe.

Mein Vater liebte meine Mutter sehr, und dennoch bin ich davon überzeugt, daß er nie zu ihr von Liebe gesprochen hat. Und was Mama betraf, so habe ich sie nie Liebesworte sagen hören, wie man sie im Kino hört oder in Romanen liest.

Auch mit Armande habe ich nicht von Liebe gesprochen. Eines Abends, als sie mit meiner Mutter und mir bei uns aß, sprachen wir über die Farbe der Vorhänge, die wir für das Eßzimmer kaufen wollten. Sie war für rot, für ein sehr grelles Rot, was Mama entsetzte.

»Entschuldigen Sie«, hat sie mit ihrem ewigen Lächeln gemurmelt. »Ich rede davon, als wäre dies mein Zuhause.«

Und ich habe ohne Überlegen, ohne es auch nur zu merken, aus purer Höflichkeit geantwortet:

»Es hängt nur von Ihnen ab, daß Sie hier zu Hause sind.«

Und das war mein einziger Heiratsantrag.

»Sie scherzen, Charles.«

Meine arme Mutter hat nachdrücklich gesagt:

»Charles scherzt nie.«

»Möchten Sie wirklich, daß ich Frau Alavoine werde?«

»Jedenfalls würden die Kinder sehr froh darüber sein«, hat Mama gesagt.

»Wer weiß? Fürchten Sie nicht, daß ich zuviel Unruhe in Ihr Haus bringen könnte?«

Wenn Mama es geahnt hätte! Allerdings hat sich Armande ihr gegenüber immer liebenswürdig gezeigt. Sie hat sich ganz wie die Frau eines Arztes benommen, die um das Behagen, die Ruhe und den Frieden ihres Mannes besorgt ist.

Was sie tun muß, tut sie stets mit angeborenem Takt, wie Sie es bei Gericht haben bemerken können.

War es nicht ihre erste Pflicht, mir meine bäuerischen Angewohnheiten abzugewöhnen, da sie gebildeter war als ich und ich vom Lande kam? Mußte sie nicht meinen Geschmack so sehr wie möglich verfeinern und für meine Töchter eine vornehmere Atmosphäre schaffen als die, an die meine Mutter und ich gewöhnt waren?

Das alles hat sie mit dem ihr eigenen Geschick, mit größtem Takt zustandegebracht.

»Sie haben eine großartige Frau«, habe ich zehn Jahre lang von allen gehört.

Und ich kam dann jedesmal mit einem solchen Minderwertigkeitsgefühl nach Hause, daß ich am liebsten mit dem Mädchen in der Küche gegessen hätte.

Mama wurde in schwarze oder graue Seide gekleidet, worin sie sehr würdig wirkte. Sie bekam sogar eine andere Frisur — sie hatte früher immer den Knoten tief im Nakken getragen —, und in den Salon wurde für sie ein hübscher Nähtisch gestellt.

Ihrer Gesundheit wegen wurde ihr verboten, vor neun Uhr herunterzukommen, und man hat ihr das Frühstück ans Bett gebracht, ihr, die bei uns die Tiere, Kühe, Hühner, und Schweine fütterte, bevor sie frühstückte. Zu Weihnachten und zum Geburtstag hat man ihr geschmackvolle

Dinge geschenkt, darunter für eine alte Dame passenden Schmuck.

»Findest du nicht, Charles, daß Mama in diesem Sommer etwas erschöpft wirkt?«

Man hat versucht — aber vergeblich —, sie zu einer Kur nach Evian zu schicken, da ihre Leber nicht ganz in Ordnung war.

Und das alles, mein Richter, ist sehr gut. Alles, was Armande getan hat, tut und tun wird, ist sehr gut. Verstehen Sie, daß einen das zur Verzweiflung bringen kann?

Sie ist im Zeugenstand nicht als schluchzende oder gehässige Ehefrau erschienen. Sie hat mich nicht vor allen schlecht gemacht, hat auch nicht um Mitleid gebuhlt. Sie war schlicht und ruhig. Sie war sie selbst: heiter.

Sie ist auf den Gedanken gekommen, sich an Herrn Gabriel zu wenden, der seiner Redegabe wegen berühmt und auch der teuerste Anwalt ist. Sie hat auch gefunden, daß es sich, da ich sozusagen zu La Roche-sur-Yon gehöre, schicke, daß die Vendée durch ihren besten Anwalt vertreten werde.

Sie hat die Fragen mit einer Natürlichkeit beantwortet, die alle bewundert haben, und ich habe mehrmals geglaubt, die Zuhörer würden ihr applaudieren.

Erinnern Sie sich an den Ton, in dem sie, als man von meinem Verbrechen gesprochen hat, sagte:

»Ich kann nichts über diese Frau sagen... Sie war drei- oder viermal mein Gast, aber ich kannte sie wenig...«

Ohne Haß, hat man in den Zeitungen betont. Fast ohne Bitterkeit. Und mit welcher Würde!

Ach, ich glaube, ich habe eben das Wort gefunden, ohne es zu wollen. Armande ist würdig. Sie ist die Würde selbst. Und nun versuchen Sie, sich zehn Jahre lang im Tête-à-tête mit der Würde vorzustellen. Versuchen Sie, sich in einem Bett mit der Würde vorzustellen.

Haben Sie je davon geträumt, daß Sie Ihre Lehrerin geheiratet hätten? Nun, mein Richter, so ist es mir ergangen. Meine Mutter und ich haben zehn Jahre lang in der Schule gelebt, in der Hoffnung auf ein Lob, in der Furcht vor einer schlechten Note.

Und Mama lebt immer noch darin.

Nehmen Sie an, Sie gingen an einem heißen Augustnachmittag durch eine stille Straße. Die Straße ist durch die Linie, die den Schatten von der Sonne trennt, in zwei Teile geteilt.

Sie gehen auf dem von Licht überfluteten Gehsteig, und Ihr Schatten geht mit Ihnen, fast neben Ihnen, Sie sehen, wie er sich an den Wänden der weißen Häuser bricht.

Und dann plötzlich verschwindet dieser Schatten, der Sie begleitet hat...

Er fällt nicht hinter Sie, weil Sie die Richtung gewechselt haben. Ich sage: er verschwindet.

Und da sind Sie plötzlich ohne Schatten auf der Straße. Sie drehen sich um, und Sie sehen ihn nicht. Sie blicken auf Ihre Füße, und Ihre Füße stehen in einer Lichtlache.

Die Häuser auf der anderen Straßenseite liegen weiter in ihrem kühlen Schatten. Zwei Männer gehen friedlich schwatzend vorüber, und ihr Schatten geht vor ihnen her, paßt sich ihren Schritten an, macht genau dieselben Bewegungen wie sie.

Und da ein Hund am Rande des Gehsteigs. Auch er hat seinen Schatten.

Dann betasten Sie sich. Ihr Körper ist so fest wie immer. Sie gehen schnell ein paar Schritte weiter und bleiben dann jäh stehen, in der Hoffnung, Ihren Schatten wiederzufinden. Sie laufen. Aber er ist noch immer nicht da. Sie machen kehrt, und auf dem hellen Gehsteig ist kein dunkler Fleck.

Die Welt ist voll beruhigender Schatten. Die Kirche auf dem Platz wirft einen gewaltigen Schatten, und ein paar alte Leute suchen in ihm Kühle.

Sie träumen nicht. Sie haben keinen Schatten mehr, und in Ihrer Angst sprechen Sie einen Passanten an.

»Verzeihung, mein Herr...«

Er bleibt stehen. Er blickt Sie an. Sie existieren also, obwohl Sie Ihren Schatten verloren haben. Er wartet darauf, daß Sie ihm sagen, was Sie von ihm wollen.

»Das dort ist doch der Marktplatz?«

Und er hält Sie für einen Halbverrückten oder für einen Fremden. Können Sie sich die Angst vorstellen, allein, ohne Schatten durch eine Welt zu irren, in der jeder den seinen hat?

Ich weiß nicht, ob ich es geträumt oder irgendwo gelesen habe. Als ich zu Ihnen davon zu sprechen begann, glaubte ich, einen Vergleich zu finden, aber dann kam es mir so vor, als ob mir diese Angst des Menschen ohne Schatten vertraut sei, als ob ich sie schon erlebt hätte, als ob sie verworrene Erinnerungen in mir wachriefe, und darum ist es mir, als hätte ich es einmal geträumt.

Jahrelang, ich weiß nicht genau wie viele, fünf oder sechs wohl, bin ich wie jeder durch die Stadt gegangen. Hätte mich jemand gefragt, ob ich glücklich sei, hätte ich, glaube ich, zerstreut mit einem Ja geantwortet.

Mein Haus wurde allmählich immer behaglicher und gemütlicher. Meine Töchter wuchsen heran. Die älteste ging zur ersten Kommunion. Meine Praxis vergrößerte sich. Es waren vor allem kleine Leute, die zu mir kamen. Bei denen bringt zwar jeder Besuch nicht viel ein, aber sie zahlen sofort, kommen oft ins Sprechzimmer mit dem Geld für die Untersuchung in der Hand.

Ich habe gut Bridgespielen gelernt. Ich habe dafür Monate gebraucht. Wir haben uns ein Auto gekauft, und das Autofahren hat auch eine ganze Menge Zeit ausgefüllt. Ich habe auch wieder angefangen Tennis zu spielen, weil Armande Tennis spielte, und wir haben viele Stunden damit verbracht.

»Im nächsten Sommer werden wir ans Meer fahren.«

In einem anderen Jahr reisten wir zum Wintersport, und in einem anderen unternahmen wir etwas anderes.

Was die Geschichte mit dem Schatten betrifft, so hat sie sich nicht so plötzlich ereignet wie bei meinem Mann auf der Straße. Aber ich habe kein genaueres Bild gefunden.

Ich kann nicht einmal sagen, in welchem Jahr es war. Meine Stimmung hat sich nicht verändert, mein Appetit ist nicht geringer geworden, und die Arbeit machte mir nach wie vor die gleiche Freude. Es hat ganz einfach einen Augenblick gegeben, da ich mit anderen Augen um mich zu sehen begann, und die Stadt, eine hübsche, sehr helle, sehr saubere Stadt, eine Stadt, in der mich alle freundlich grüßten, erschien mir plötzlich fremd.

Warum habe ich da das Gefühl einer Leere gehabt?

Ich habe auch mein Haus mit anderen Augen zu betrachten begonnen. Ich habe mich gefragt, was dieses Haus, diese Zimmer, dieser Garten, dieses Tor mit dem Messingschild, auf dem mein Name stand, mit mir zu tun hätten.

Ich habe Armande angeblickt und habe mir immer wieder sagen müssen, sie sei meine Frau.

Warum?

Und die beiden kleinen Mädchen, die mich Papa nannten . . .

Ich wiederhole Ihnen, das ist nicht schlagartig passiert, denn dann hätte ich mir meinetwegen Sorgen gemacht und hätte einen Kollegen konsultiert.

Was machte ich da, in einer kleinen, friedlichen Stadt, in einem hübschen, behaglichen Haus, unter Leuten, die mich anlächelten und mir vertraut die Hand drückten?

Und wer hatte diesen Stundenplan festgesetzt, den ich so genau einhielt, als ob mein Leben davon abhinge? Was sage ich, als ob es vom Schöpfer seit Urzeiten beschlossen wäre, daß dieser Stundenplan unabänderlich der meine sei!

Wir empfingen oft Gäste, zwei- oder dreimal wöchentlich, gute Freunde, die immer an dem gleichen Tage kamen, immer auf den gleichen Sesseln saßen, und ich beobachtete sie mit einer gewissen Angst und sagte mir: »Was habe ich mit ihnen zu schaffen?«

Es war, als ob ich plötzlich alles zu klar sähe. Und ich ganz allein sah die Welt so, ich ganz allein sah mich in einer Welt bewegen, die nichts von dem wußte, was mir geschah.

Kurz, Jahre und Jahre hatte ich gelebt, ohne das zu merken. Ich hatte gewissenhaft, so gut ich es vermochte, alles getan, was man mich zu tun geheißen hatte. Ohne zu versuchen, den Grund zu erkennen, ohne zu versuchen, zu verstehen.

Ein Mann muß einen Beruf haben, und Mama hatte aus mir einen Arzt gemacht. Er muß Kinder haben, und ich hatte Kinder. Er muß eine Frau und ein Haus haben, und ich hatte das alles. Er braucht Zerstreuungen, und ich fuhr Auto und spielte Bridge und Tennis. Er braucht Ferien, und ich fuhr mit meiner Familie ans Meer.

Meine Familie! Ich sah sie rings um den Eßzimmertisch sitzen, und es war fast, als kennte ich sie nicht. Ich betrachtete meine Töchter. Alle behaupteten, sie ähnelten mir. In was? Warum?

Und was tat diese Frau in meinem Hause, in meinem Bett? Und diese Leute, die geduldig in meinem Wartezimmer warteten und die ich einen nach dem anderen in mein Sprechzimmer kommen ließ?

Warum?

Ich führte weiter mein alltägliches Leben. Ich war nicht unglücklich, glauben Sie das nicht. Aber ich hatte das Gefühl, mich im Leeren zu bewegen.

Dann ist allmählich ein vages Verlangen in mich eingedrungen, so vage, daß ich nicht weiß, wie ich davon sprechen soll. Es fehlte mir etwas, aber ich wußte nicht was. Meine Mutter sagt manchmal zwischen den Mahlzeiten: »Ich glaube, ich habe etwas Hunger ...« Das ist ein unbestimmtes, quälendes Gefühl, das sie damit zu bekämpfen versucht, daß sie eine Scheibe Brot oder ein Stück Käse ißt.

Ich hatte auch Hunger, zweifellos, aber Hunger worauf? Das ist so unmerklich gekommen, daß ich, ich wiederhole es, nicht sagen kann, wann dieses Unbehagen eigentlich angefangen hat. Ich achtete nicht darauf. Man hat uns so daran gewöhnt, zu glauben, daß das, was existiert, existiere, daß die Welt genauso sei, wie wir sie sehen, daß man dies oder jenes tun müsse und nicht anders handeln dürfe ...
Ich zuckte die Schultern.

»Bah! Eine kleine Verstimmung!«

Vielleicht Armandes wegen, die mir nicht genügend Freiheit ließ? Sie hinderte mich daran, frei zu sein, ein wirkliches Männerleben zu führen. Ich beobachtete sie, ich belauerte sie. Alles, was sie sagte und tat, bestärkte mich in meinem Gedanken.

Sie ist es, die darauf bestanden hat, daß das Haus so wurde, wie es jetzt ist, daß wir unser Leben so einrichteten, daß ich so lebte, wie sie es für richtig hielt...

Ohne es zu ahnen, ist Armande allmählich für mich das Schicksal geworden. Und indem ich mich gegen das Schicksal auflehnte, habe ich mich gegen sie aufgelehnt.

»Sie ist so eifersüchtig, daß sie mir keinen Augenblick Freiheit läßt...«

War es aus Eifersucht? Ich frage es mich manchmal. War es nicht vielleicht nur, weil sie fand, daß der Platz einer Frau an der Seite ihres Mannes sei?

Ich bin in jener Zeit nach Caen gefahren, denn meine Tante war gerade gestorben. Ich bin allein gefahren. Ich weiß nicht mehr, was Armande zu Hause festgehalten hat, sicherlich eine Krankheit eines der Kinder, denn eins von den beiden ist fast immer krank.

Als ich an der Ecke der kleinen Straße vorüberkam, habe ich mich an das junge Mädchen mit dem roten Hut erinnert, und mir ist heiß geworden. Ich glaubte plötzlich zu wissen, was mir fehlte. In meiner Trauerkleidung bin ich abends in die Brasserie Chandivert gegangen, die fast unverändert war, nur die Beleuchtung war etwas besser.

Ich wollte das gleiche Abenteuer wie damals erleben. Ich blickte alle allein dort sitzenden Frauen mit einer Art Beklommenheit an. Aber keine ähnelte auch nur von fern der von damals.

Nun, es half nichts. Es verlangte mich, Armande zu betrügen, mein Schicksal so gemein wie möglich zu betrügen, und ich habe mir eine dicke Blonde mit vulgärem Lächeln ausgesucht, die vorn im Mund einen Goldzahn hatte.

»Du bist wohl nicht von hier, was?«

Sie hat mich nicht aufgefordert, mit zu ihr zu kommen, sondern hat mich in ein kleines Hotel hinter der Saint-Jean-Kirche geführt. Sie hat sich so berufsmäßig ausgezogen, daß es mich angewidert hat und daß ich nahe daran war, zu gehen.

»Was wirst du mir geben?«

Und dann plötzlich hat es mich gepackt. Wie ein Rachebedürfnis, ich finde kein anderes Wort dafür. Ihren Goldzahn entblößend, hat sie erstaunt immer wieder gesagt:

»Donnerwetter, mein Schatz!«

Es war das erstemal, mein Richter, daß ich Armande betrogen habe. Ich tat es mit solcher Besessenheit, als ob ich um jeden Preis meinen Schatten wiederfinden wollte.

FÜNFTES KAPITEL

Die Uhr außen am Bahnhof, ein runder, rötlicher im Schwarzen hängender Mond, zeigte zehn vor sieben. Genau in dem Augenblick, da ich die Tür des Taxis geöffnet habe, um auszusteigen, ist der Zeiger um eine Minute vorgerückt. Ein Zug hat gepfiffen. Der meine! Ich war mit kleinen Paketen beladen, deren Schnüre aufzugehen drohten. Der Chauffeur konnte mir auf den Geldschein, den ich ihm gegeben hatte, nicht herausgeben. Es regnete stark, und ich mußte, in einer Wasserlache stehend, meinen Mantel und meine Jacke aufknöpfen, um in all meinen Taschen nach Kleingeld zu suchen.

Ein anderes Taxi hat vor dem meinen gehalten. Eine junge Frau ist ausgestiegen und hat vergeblich nach einem Gepäckträger ausgespäht — wenn es regnet, sind sie nie da — und ist schließlich mit zwei Koffern, die ziemlich schwer zu sein schienen, in den Bahnhof hineingeeilt.

Ein paar Augenblicke später standen wir beide hintereinander vor dem Schalter.

»Eins Zweiter nach La Roche-sur-Yon ...«

Ich war größer als sie und konnte über ihre Schulter hin-

weg den Inhalt ihrer Handtasche sehen, die mit Moirée-
seide gefüttert war: ein Taschentuch, eine Puderdose, ein
Feuerzeug, Briefe und Schlüssel. Ich brauchte nur zu wiederholen, was sie gerade gesagt hatte: »Eins Zweiter nach
La Roche...«

Ich habe all meine kleinen Pakete aufgelesen und bin dann
gerannt. Ein Beamter hat mir eine Glastür geöffnet, und
als ich auf den Bahnsteig kam, fuhr der Zug gerade ab. Da
ich so beladen war, konnte ich nicht mehr aufspringen. Einer meiner Freunde, Deltour, der Besitzer der Tankstelle,
der an einer Abteiltür stand, hat mir gewinkt. Es ist komisch, wie lang ein Zug zu sein scheint, den man verpaßt
hat. Immer noch fuhr ein Waggon an mir vorüber.

Als ich mich umdrehte, sah ich ganz in meiner Nähe die
junge Frau mit den beiden Koffern stehen.

»Wir haben ihn verpaßt«, hat sie gesagt.

Ja, das sind die ersten Worte gewesen, mein Richter, die
Martine zu mir gesagt hat. Während ich sie niederschreibe, fällt mir das zum erstenmal auf.

»Wir haben ihn verpaßt...«

Finden Sie nicht, daß das merkwürdig ist?

Ich war nicht sicher, ob sie sich damit an mich wandte.

Sie wirkte gar nicht sonderlich verärgert.

»Wissen Sie, wann der nächste Zug fährt?«

»Um zehn Uhr zwölf.«

Und ich sah auf meine Uhr, was idiotisch war, da mitten
auf dem Bahnsteig eine große Leuchtuhr hing.

»Es bleibt nichts anderes übrig, als das Gepäck bis dahin
bei der Aufbewahrung abzugeben«, sagte sie dann, und ich
wußte nicht, ob sie damit ein Gespräch anknüpfen wollte.
Der Bahnsteig war geschützt, aber dicke Tropfen fielen von
dem Glasdach auf die Gleise. Ein Bahnhof ähnelt immer
einem Tunnel: Nur im Gegensatz zu einem Tunnel ist das
Innere beleuchtet, die beiden Enden liegen im Dunkel,
und ein kalter Wind weht einem von dort entgegen.

Ich bin ihr mechanisch nachgegangen. Sie hatte mich nicht
eigentlich dazu aufgefordert. Ich konnte ihr nicht helfen,

ihre Koffer zu tragen, denn ich war ja selber reichlich beladen, und auf dem Wege habe ich zweimal stehenbleiben müssen, weil mir Pakete zu entgleiten drohten.

Von mir aus hätte ich sicherlich nicht an die Gepäckaufbewahrung gedacht. Ich denke nie daran. Ich stelle die Sachen lieber in einem Café oder einem Restaurant ab, das ich kenne. Ich hätte wahrscheinlich im Wartesaal gegessen und, auf den nächsten Zug wartend, in meiner Ecke die Zeitungen gelesen.

»Sind Sie aus La Roche-sur-Yon?«

»Ja.«

»Kennen Sie Herrn Bouquet?«

»Von dem Warenhaus?«

»Ja, ihm gehört ein großes Warenhaus.«

»Ja, den kenne ich. Er ist ein Patient von mir.«

»Ach!«

Sie hat mich seltsam angeblickt, hat ihre Handtasche geöffnet, eine Zigarette herausgenommen und sie sich angesteckt. Die Art, wie sie ihre Zigarette hielt, hat mich frappiert, ohne daß ich sagen könnte, warum.

Es war Dezember, mein Richter. Es ist jetzt fast ein Jahr her. Eine Woche vor Weihnachten, was meine vielen kleinen Pakete erklärt. Ich hatte einen Kranken, der dringend operiert werden mußte, nach Nantes gebracht. Ich war im Krankenwagen mitgefahren und mußte darum für die Rückfahrt den Zug benutzen. Gaillard, der Chirurg, hatte mich vom Krankenhaus mit zu sich genommen und hatte mir Himbeergeist kredenzt, den einer seiner ehemaligen Patienten ihm gerade aus dem Elsaß geschickt hatte.

»Du ißt heute abend bei uns. Aber ja, mein Lieber. Meine Frau ist ausgegangen. Wenn sie dich bei ihrer Rückkehr nicht hier vorfindet, wird sie wütend sein, daß ich dich habe gehen lassen.«

Ich habe ihm erklärt, ich müsse unbedingt den Zug sechs Uhr sechsundfünfzig nehmen, weil am Abend noch zwei Kranke zu mir kämen und Armande habe mich mit einer ganzen Reihe von Besorgungen beauftragt.

Das war mein Verhängnis. Ich bin zwei gute Stunden lang in den Läden herumgelaufen. Ich habe, ich weiß nicht wieviel Zeit damit verloren, die richtigen Knöpfe zu finden, die sie bestimmt auch in La Roche bekommen hätte. Ich habe Spielzeug für meine Töchter gekauft. Es regnete obendrein schon seit dem Morgen.

Und jetzt stand ich in der Halle des Bahnhofs neben einer Frau, die ich nicht kannte und die ich mir noch gar nicht genau angesehen hatte. Uns gegenüber war die Gepäckaufbewahrung, und wir waren die einzigen Reisenden in der Halle. Der Beamte glaubte, wir gehörten zusammen. Ohne diese Leere, die uns umgab, die uns fälschlich zusammengehörig erscheinen ließ, hätte ich mich wahrscheinlich mit irgendeiner harmlosen Bemerkung entfernt.

Ich wagte es nicht. Ich merkte, daß sie fror, daß sie ein sehr elegantes, aber für die Jahreszeit zu leichtes dunkles Kostüm trug. Sie hatte einen seltsamen winzigen Hut auf, eine Art Seidenblume, die ganz vorn auf dem Kopf saß.

Sie war unter ihrer Schminke bleich. Sie hat vor Kälte gezittert und hat gesagt:

»Ich muß etwas Heißes trinken, um mich aufzuwärmen...«

»Im Wartesaal?«

»Nein, da gibt es nichts Gutes. Ich glaube, ich habe ganz in der Nähe eine amerikanische Bar gesehen...«

»Kennen Sie Nantes nicht?«

»Ich bin erst heute morgen hier angekommen.«

»Fahren Sie für lange nach La Roche?«

»Vielleicht für Jahre, vielleicht für immer. Das wird von unserem Freund Bouquet abhängen.«

Wir sind auf eine der Türen zugegangen, und ich habe sie ihr aufgehalten.

»Wenn Sie erlauben...«

Sie hat gar nicht darauf geantwortet. Ganz selbstverständlich haben wir den Platz im Regen überquert.

»Warten Sie... Hier bin ich angekommen, nicht wahr?... Es ist also links... Gleich hinter einer Straßenecke... Ein grünes Leuchtschild.«

Ich hätte bei meinem Freund Gaillard essen können, bei zwanzig anderen, die es mir jedesmal übelnahmen, wenn ich nach Nantes kam, ohne sie zu besuchen. Ich kannte die Bar nicht, in die sie mich schleppte und die neu war: ein schmaler, schummerig beleuchteter Raum mit dunklen Täfelungen und einer Theke, vor der die hohe Hocker standen. Zu meiner Studentenzeit gab es diese Art von Etablissements in der Provinz noch nicht, und ich habe mich nie ganz an sie gewöhnen können.

»Einen ›Rosa‹, Mixer...«

Ich trinke im allgemeinen wenig, und ich hatte schon bei Gaillard getrunken. Himbeergeist ist tückisch, denn man merkt dabei gar nicht, wieviel man trinkt, und er hat immerhin einen Alkoholgehalt von sechzig Prozent. Da ich nicht wußte, was ich bestellen sollte, habe ich auch einen ›Rosa‹ verlangt.

Es wäre mir lieber, mein Richter, wenn ich von der nicht zu sprechen brauchte, die ich an jenem Abend kennengelernt habe, aber dann würden Sie mich nicht verstehen, und mein Brief wäre sinnlos. Es ist schwer, ich versichere es Ihnen, vor allem jetzt.

Nicht wahr, Martine, es ist schwer?

Weil sie eben ein so ganz banaler Mensch war. Sie hatte sich schon auf einen der Hocker geschwungen, und man spürte, daß sie das gewöhnt war. Es gehörte ebenso wie die mehr oder weniger luxuriöse Atmosphäre zu der Vorstellung, die sie sich vom Leben machte.

Die Zigarette auch. Kaum hatte sie die erste zu Ende geraucht, da steckte sie sich schon eine neue an und sagte zu dem Mixer, wobei sie des Rauches wegen die Augen halb schloß (mir hat immer vor Frauen gegraut, die beim Rauchen Grimassen schneiden):

»Nicht zu viel Gin für mich...«

Sie verlangte Oliven. Sie kaute an einer Nelke. Sie schloß ihre Handtasche und machte sie dann gleich wieder auf, um ihre Puderdose und ihren Lippenstift herauszunehmen. Sie hielt sich gewiß für sehr hübsch, sie hatte es gern, wenn

man sie ansah. Ein wenig später hat sie es mir selber gesagt: »Gehört Ihr Freund Bouquet zu jenen Männern, die
mit ihrer Sekretärin schlafen? Ich bin ihm nur einmal zufällig begegnet und habe nicht die Zeit gehabt, ihm die
Frage zu stellen...«
Ich weiß nicht, was ich ihr geantwortet habe. Es war so
blöde! Sie erwartete übrigens auch gar keine Antwort. Es
interessierte sie nur, was sie selber sagte.
»Ich frage mich, warum mir alle Männer nachlaufen. Nicht
weil ich schön bin, denn das bin ich nicht. Es muß etwas
wie ein Zauber dabei im Spiel sein.«
Ein Zauber jedenfalls, der auf mich nicht wirkte. Unsere
Gläser waren leer, und ich habe noch zwei Cocktails be-
stellen müssen. Sie war mager, und ich liebe die Mageren
nicht. Sie war brünett, und mich reizen Blondinen mehr.
Sie sah außerdem aus wie das Titelbild einer Illustrierten.
»Ist La Roche hübsch?«
»Nicht übel.«
»Langweilt man sich dort?«
»Wenn man will...«
In dem Lokal saßen ein paar Gäste, nicht viele, Stamm-
gäste wie immer in der Provinz in solchen Bars. Und mir
ist aufgefallen, daß sie in jeder Stadt gleich aussehen, sich
gleich kleiden, sich desselben Vokabulars bedienen.
Sie blickte sie einen nach dem anderen an, und man spürte
deutlich, wie sehr es sie verlangte, bemerkt zu werden.
»Der Alte dort fällt mir auf die Nerven.«
»Welcher?«
»Der in der linken Ecke, der in dem sehr hellen Sportan-
zug. Erstens trägt man in seinem Alter keinen hellgrünen
Anzug und gar zu dieser Stunde und zu dieser Jahreszeit!
Seit zehn Minuten lächelt er mich unaufhörlich an. Wenn
er das weiter tut, werde ich zu ihm gehen und ihn fragen,
was er von mir will...«
Und dann:
»Gehen wir! Ich werfe ihm sonst noch mein Glas ins Ge-
sicht...«

Wir sind gegangen, und es regnete immer noch. Wie in Caen an dem Abend, da ich das Mädchen mit dem roten Hut kennenlernte. Aber in diesem Augenblick habe ich überhaupt nicht an Caen gedacht.

»Wir sollten vielleicht lieber irgendwo essen«, hat sie gesagt.

Ein Taxi kam vorüber. Ich habe es angehalten, und wir haben uns beide auf die Bank im Fond gesetzt. Mir ist plötzlich bewußt geworden, daß es das erstemal war, daß ich so abends im Taxi mit einer Unbekannten fuhr. Ich sah ihr Gesicht nur wie einen milchigen Fleck, sah das glühende Ende ihrer Zigarette und die spindeldürren, in hellen Seidenstrümpfen steckenden Beine.

»Ich weiß nicht, ob wir zu dieser Stunde dort Platz bekommen werden, aber bei Francis ißt man ausgezeichnet.«

Eins der besten Restaurants Frankreichs. Es besteht aus drei Etagen mit kleinen friedlichen Salons ohne übertriebenen Luxus, und alle Kellner dort wirken wie Ahnen, denn sie sind alle seit der Gründung des Hauses dort.

Wir haben einen Tisch im Zwischenstock gefunden, dicht an einem halbmondförmigen Fenster, durch das wir unten Regenschirme vorbeiziehen sahen. Das war übrigens ein recht komisches Bild.

»Wie wär's mit einer Flasche Muskatwein zum Beginn, Herr Doktor?« hat Joseph gesagt, der mich seit langem kennt.

Man geht zu Francis nicht, um sich satt zu essen, sondern um erlesen zu speisen. Zum Rehbraten mit Morcheln gehörte ein alter Burgunder. Dann hat man uns den Kognak des Hauses in Schwenkgläsern serviert. Sie sprach ohne Unterlaß von sich und von den Leuten, die sie kannte und die wie durch einen Zufall alle bedeutende Persönlichkeiten waren.

»Als ich in Genf war ... Im vorigen Jahr im ›Negresco‹ in Nizza ...«

Ich erfuhr ihren Vornamen, Martine, ich erfuhr auch, daß sie Raoul Bouquet zufällig in einer Bar in Paris kennengelernt — Raoul ist ein fleißiger Barbesucher — und daß er sie um ein Uhr morgens als Sekretärin engagiert hatte.

»Der Gedanke, in einer Kleinstadt in der Provinz zu leben, hat mich verlockt... Glauben Sie das?... Verstehen Sie es?... Ich habe aber unserem Freund gleich gesagt, daß ich nicht mit ihm schlafen würde...«

Um drei Uhr morgens, mein Richter, schlief ich mit ihr, mit einer so rasenden Leidenschaft, daß sie mir ein paarmal verstohlen einen Blick zuwarf, in dem sich nicht nur Erstaunen, sondern wirkliche Angst spiegelte.

Ich weiß nicht, was über mich gekommen ist. Noch nie war ich so hemmungslos gewesen.

Ich habe Ihnen berichtet, auf welche dumme Weise wir uns kennengelernt haben, aber was dann geschah, war noch dümmer.

Ich war an jenem Abend gewiß betrunken. Ich habe zum Beispiel nur noch eine verschwommene Erinnerung daran, wie wir von Francis fortgegangen sind. Vorher hatte ich unter dem Vorwand, ich hätte hier einst mein bestandenes Doktorexamen gefeiert, viel zu laut und mit viel zu vielem Gestikulieren verlangt, daß der alte Francis persönlich komme, um mit uns anzustoßen. Dann habe ich einen Stuhl ergriffen — sie sind sich dort alle gleich —, und ich wollte mit aller Gewalt in ihm den Stuhl erkennen, auf dem ich an jenem großen Abend gesessen hatte.

»Ich sage Ihnen, das ist er, und der Beweis dafür ist eine Kerbe auf dem zweiten Stab... Gaillard war dabei... Verfluchter Gaillard!... Er wird es mir übelnehmen, denn ich sollte heute abend bei ihm essen... Sie werden ihm nicht sagen, daß ich hier war, Francis... Ehrenwort?«

Wir sind im Regen durch die Straßen geschlendert. Ich war es, der das wollte. Die Straßen waren fast verlassen. Überall sah man Wasser- und Lichtlachen, und dicke Tropfen fielen von den Simsen der Häuser und den Balkons.

Ihrer sehr hohen Absätze wegen fiel ihr das Gehen schwer, und sie klammerte sich an meinen Arm. Hin und wieder blieb sie stehen, um ihren Schuh wieder anzuziehen, der vom Fuß gerutscht war.

»Ich weiß nicht, ob es das noch gibt. In diesem Viertel gab es nämlich ein kleines Bistro, das eine sehr dicke Frau führte... Es ist nicht weit von hier...«

Ich wollte es durchaus wiederfinden. Wir stapften durch die Pfützen. Und als wir schließlich mit vom Regen glänzenden Schultern in einem kleinen Café landeten, das vielleicht jenes war, das ich suchte, vielleicht aber auch ein anderes, war es auf der Reklameuhr über der Theke viertel nach zehn.

»Geht sie richtig?«

»Sie geht fünf Minuten nach.«

Da haben wir uns beide angesehen und sind dann in schallendes Gelächter ausgebrochen.

»Was wirst du Armande sagen?«

Ich hatte ihr also von Armande erzählt. Ich weiß nicht, was ich ihr gesagt habe, aber ich erinnere mich verschwommen, daß ich über sie gewitzelt habe.

Erst in diesem kleinen Lokal, in dem außer uns kein Gast war, in dem eine Katze neben einem großen eisernen Ofen auf einem Stuhl schlief, erst in diesem kleinen Lokal, sage ich, habe ich gemerkt, daß wir uns duzten.

Als sei das etwas besonders Amüsantes, hat sie gesagt:

»Wir müssen Armande anrufen... Haben Sie Telefon, Madame?«

»Im Flur links...«

Ein schmaler, übelriechender Flur mit grellgrün gestrichenen Wänden, der zu den Toiletten führte. Der Apparat hing an der Wand. Er hatte noch einen zweiten Hörer, und Martine hat ihn ergriffen. Wir berührten uns, genauer gesagt, unsere feuchten Kleidungsstücke berührten sich, und unser Atem roch nach dem Calvados, den wir eben an der Theke getrunken hatten.

»Hallo! 12-51 bitte, Fräulein... Werde ich lange warten müssen?«

Man bat uns, am Apparat zu bleiben. Ich weiß nicht, warum wir lachten, aber ich erinnere mich, daß ich die Sprechmuschel mit der Hand bedecken mußte. Wir hörten, wie die Beamtinnen einander riefen.

»Gib mir 12-51, meine Liebe... Regnet's bei euch auch so heftig wie hier?... Wann hast du Dienstschluß?... Hallo!... 12-51?... Einen Augenblick, Madame... Sie werden aus Nantes verlangt... Hallo, Nantes... Bitte melden...«

Und das alles amüsierte uns, Gott weiß warum, das alles erschien uns irrsinnig komisch

»Hallo! Bist du's, Armande?«

»Charles?... Bist du immer noch in Nantes?«

Martine stieß mich mit dem Ellbogen an.

»Es hat leider einige Komplikationen gegeben... Ich mußte heute abend noch einmal ins Krankenhaus, um nach meinem Kranken zu sehen...«

»Hast du bei Gaillard gegessen?«

»Das heißt...«

Martine stand dicht neben mir. Ich hatte Angst, daß sie laut auflachen könnte. Ich war nicht gerade stolz auf mich.

»Nein... Ich wollte sie nicht stören... Ich hatte Besorgungen zu machen...«

»Hast du die Knöpfe für mich bekommen?«

»Ja... Ich habe auch das Spielzeug für die Kleinen gekauft...«

»Bist du im Augenblick bei Gaillard?«

»Nein... Ich bin noch in der Stadt... Ich komme gerade aus dem Krankenhaus...«

»Schläfst du bei ihnen?«

»Ich weiß noch nicht... Ich glaube, ich gehe lieber ins Hotel... Ich bin sehr müde, und bei ihnen käme ich erst um eins ins Bett...«

Ein Schweigen. Meiner Frau schien das alles merkwürdig vorzukommen. Plötzlich hat sie gesagt:

»Bist du allein?«

»Ja.«

»Rufst du aus einem Lokal an?«

»Ich gehe jetzt ins Hotel...«

»In den ›Duc de Bretagne‹?«

»Wahrscheinlich, wenn dort noch Platz ist.«

»Was hast du mit den Paketen gemacht?«

Was darauf antworten?

»Ich habe sie bei mir...«

»Verlier nur nichts... Übrigens, Frau Gringuois war heute abend hier... Du hattest sie auf neun Uhr bestellt... Sie hat immer noch große Schmerzen und wollte absolut auf dich warten...«

»Ich werde morgen nach ihr sehen...«

»Nimmst du den ersten Zug?«

Was blieb mir anderes übrig? Der Zug um sechs Uhr zweiunddreißig, im Dunkel, in der Kälte, im Regen! Wie ich wußte, kam es oft vor, daß die Wagen nicht geheizt waren.

»Bis morgen...«

Ich habe wiederholt:

»Bis morgen...«

Ich hatte kaum eingehängt, da rief Martine:

»Sie hat dir nicht geglaubt... Die Geschichte mit den Paketen hat sie nachdenklich gemacht...«

Wir haben noch einen Calvados an der Theke getrunken und sind dann wieder in das feuchte Dunkel hinausgegangen. Aber wir waren sehr heiter. Wir mußten über alles lachen, wir mokierten uns über die wenigen Passanten. Wir mokierten uns über Armande und meine Patientin, Frau Gringuois, deren Geschichte ich ihr hatte erzählen müssen.

Musik, die aus einem mit Neonlicht erleuchteten Hause auf die Straße hallte, hat uns angezogen. Es war ein winziges, ganz in Rot gehaltenes Nachtlokal, das wir betraten. Die Lampen waren rot, der Samt der Bänke war rot, die Wände, auf die Nuditäten gemalt waren, waren rot, und schließlich waren die abgewetzten Smokings der fünf Musiker rot.

Martine wollte tanzen, und ich habe mit ihr getanzt. Erst
da habe ich ihren Nacken ganz aus der Nähe gesehen, einen sehr weißen Nacken, mit einer so feinen Haut, daß
das Blau der Adern sichtbar war, und mit feuchten locki-
gen Härchen.

Warum hat mich dieser Nacken gerührt? Er war gleichsam
das erste Menschliche, das ich an ihr entdeckte. Er hatte
keine Beziehung zum Titelbild einer Illustrierten, sondern
war der einer jungen Frau, die sich für elegant hält, war
der Nacken eines nicht sehr gesunden jungen Mädchens,
und ich habe ihn beim Tanzen mit den Lippen berührt.

Als wir uns wieder auf unsere Plätze gesetzt haben, habe
ich ihr Gesicht mit anderen Augen betrachtet. Sie hatte
Ringe unter den Augen. Das künstliche Rot ihrer Lippen
war verwischt. Sie war müde, aber sie wollte weiterma-
chen, sie wollte sich um jeden Preis weiter amüsieren.

»Frag, ob sie Whisky haben ...«

Wir haben welchen getrunken. Sie ist leicht schwankend
zu den Musikern gegangen, um sie zu bitten, ein Stück
zu spielen, das ich nicht kannte, und ich habe sie gestikulieren sehen.

Später ist sie zur Toilette gegangen. Sie ist sehr lange weg-
geblieben. Ich fragte mich, ob ihr übel sei. Ich wagte nicht,
hinzugehen und nach ihr zu sehen.

Es ist mir jetzt klar, daß sie eine Frau war und nichts weiter. Ein junges Mädchen von fünfundzwanzig Jahren, das
prahlte. Sie ist erst nach einer Viertelstunde zurückgekehrt.
Als sie in den Raum kam, hatte ihr Gesicht einen müden,
starren Ausdruck, aber dann hat sie gleich wieder zu lächeln begonnen. Sie saß kaum, da steckte sie sich eine Zigarette an und trank ihr Glas aus, nicht ohne Ekel, obwohl sie ihn vor mir zu verbergen versuchte.

»Fühlst du dich nicht wohl?«

»Es geht mir schon wieder besser ... Es ist jetzt vorbei ...
Ich bin nicht an so üppiges Essen gewöhnt ... Bestelle doch
bitte noch etwas zu trinken.«

Sie war nervös und verkrampft.

»Die letzten Wochen in Paris sind hart gewesen... Ich hatte törichterweise meine Stellung aufgegeben...«

Sie hatte sich übergeben. Sie trank von neuem. Sie wollte wieder tanzen, und beim Tanz preßte sie sich noch mehr an mich.

In ihrer Erregung war etwas Trauriges, Gezwungenes, das mich rührte. Ich spürte, daß sich die Begierde ihrer allmählich bemächtigte, es war eine Art von Begierde, der ich noch nie begegnet war.

Sie erregte sich aus sich allein, mein Richter, verstehen Sie? Ich spielte dabei gar keine Rolle, ja, überhaupt der Mann nicht. Ich habe das erst später begriffen. In jenem Augenblick verwirrte es mich und machte mich verlegen. Trotz meiner Anwesenheit war ihre Begierde eine einsame Begierde.

Und ihre sexuelle Erregung hatte nichts Natürliches. Sie klammerte sich daran, um einer Leere zu entgehen.

Zugleich, so paradox das scheinen mag, war sie davon gedemütigt und litt darunter.

Als wir uns wieder setzten und das Orchester eine aufpeitschende Melodie spielte, um die sie gebeten hatte, bohrte sie plötzlich ihre Nägel in meinen Schenkel.

Wir haben viel getrunken, ich weiß nicht mehr wieviel. Schließlich waren wir die einzigen Gäste in dem Nachtlokal, und das Personal wartete darauf, daß wir gingen, damit man schließen konnte. Man hat uns höflich vor die Tür gesetzt.

Es war schon nach zwei Uhr morgens. Es war mir peinlich, mit ihr in den ›Duc de Bretagne‹ zu gehen, wo man mich kannte und wo ich öfter mit Armande und meinen Töchtern abgestiegen war.

»Bist du sicher, daß kein Lokal mehr offen ist?«

»Bis auf ein paar kleine Kneipen am Hafen.«

»Gehen wir dorthin.«

Wir haben ein Taxi genommen, nach dem wir erst lange suchen mußten. Und im Dunkel des Autos hat sie plötzlich ihre Lippen auf die meinen gepreßt, in einer Leidenschaft ohne Liebe. Sie stieß meine Hand nicht zurück, die ich auf ihre Hüfte gelegt hatte, und ich spürte, wie mager sie war und wie ihr Körper glühte.

Die meisten der Kneipen waren schon geschlossen oder schlossen gerade, als wir kamen. Wir sind in ein Tanzlokal gegangen, das nur trübe beleuchtet war, und ich habe gesehen, wie Martines Nasenflügel bebten, weil alle Männer sie anblickten und sie sicherlich eine Gefahr witterte.

Man servierte uns schlechten Schnaps, vor dem uns graute. Es verlangte mich, schnell wieder wegzukommen, aber ich wagte nicht zu sehr zu drängen, weil ich wußte, was sie dann gedacht hätte.

Schließlich sind wir in ein zweitrangiges Hotel gegangen, in dem noch Licht brannte. Der Nachtportier nahm einen Schlüssel vom Brett und murmelte:

»Ein Zimmer mit zwei Betten?«

Sie hat nichts gesagt. Ich habe auch geschwiegen. Ich habe nur gebeten, uns um Viertel vor sechs zu wecken. Ich hatte kein Gepäck bei mir. Das Martines war bei der Gepäckaufbewahrung auf dem Bahnhof, und wir hatten uns nicht die Mühe gemacht, es zu holen. Nachdem sie die Tür geschlossen hatte, sagte sie zu mir:

»Wir schlafen jeder in einem Bett, nicht wahr?«

Ich habe es versprochen. Ich war fest dazu entschlossen. Neben dem Zimmer befand sich ein winziges Badezimmer, in das sie als erste gegangen ist, und ehe sie darin verschwand, hat sie gesagt:

»Leg dich schon hin ...«

Als ich sie im Badezimmer hin und her gehen, Hähne öffnen und schließen hörte, habe ich plötzlich ein seltsames Gefühl von Vertrautheit gehabt, mein Richter, ein Gefühl von Vertrautheit, das ich bei Armande nie empfunden habe.

Ich frage mich, ob ich noch betrunken war. Ich glaube es nicht. Ich habe mich ausgezogen und bin ins Bett geschlüpft. Da sie so lange im Badezimmer blieb und ich glaubte, ihr sei vielleicht wieder übel, fragte ich laut:

»Geht's dir gut?«

»Ja«, hat sie geantwortet. »Bist du im Bett?«

»Ja...«

»Ich komme...«

Ich hatte aus Diskretion alle Lampen im Zimmer ausgemacht, so daß, als sie die Tür des Badezimmers geöffnet
hat, von hinten ein Lichtschein auf sie fiel.

Sie kam mir noch kleiner, noch magerer vor. Sie war nackt
und hielt sich ein Handtuch vor, aber wie ich zugeben
muß, nicht mit der Absicht, mich zu reizen.

Sie hat sich noch einmal umgedreht, um das Licht auszu-
machen, und ich habe ihren Rücken gesehen mit der her-
ausspringenden Wirbelsäule, der sehr schmalen Taille und
den Hüften, die viel stärker waren, als ich geglaubt hatte.
Das hat nur ein paar Sekunden gedauert. Es ist ein Bild,
das ich nie vergessen habe. Ich habe gedacht: Ein armes
kleines Mädchen.

Ich hörte, wie sie im Dunkeln nach ihrem Bett tastete und
sich dann hinlegte. Sie hat gemurmelt:

»Gute Nacht...«

Dann hat sie gesagt:

»Nun, wir werden ja nicht lange schlafen können. Wie
spät ist es?«

»Ich weiß es nicht... Einen Augenblick, ich mache
Licht...«

Ich brauchte nur meinen Arm auszustrecken. Meine Uhr
lag auf dem Nachttisch.

»Halb vier...«

Ich sah ihr auf dem weißen Kopfkissen ausgebreitetes Haar,
sah, daß sie sich unter der Decke wie ein Jagdhund zu-
sammengerollt hatte.

»Gute Nacht«, habe ich gesagt.

»Gute Nacht.«

Ich habe das Licht wieder ausgemacht, aber wir schliefen
nicht. Zwei- oder dreimal binnen einer Viertelstunde hat
sie sich plötzlich seufzend umgedreht.

Es ist nicht meine Absicht gewesen, mein Richter, ich schwöre es Ihnen. Ich habe nach einer Weile sogar geglaubt, ich schliefe ein.

Und in dem Augenblick bin ich mit einem Satz aus dem Bett gesprungen und bin zu ihr gegangen. Meine Lippen haben ihr dunkles Haar gesucht, und ich habe gestammelt: »Martine...«

Vielleicht wollte sie mich zunächst zurückstoßen. Wir konnten einander nicht sehen. Wir waren beide blind.

Ich habe die Decke zurückgeworfen. Wie in einem Traum, ohne Überlegen, ohne eigentlich zu wissen, was ich tat, habe ich mich auf sie gestürzt.

Es war mir, als besäße ich zum erstenmal in meinem Leben eine Frau.

Ich habe sie mit wilder Leidenschaft in meine Arme geschlossen. Ich spürte das leiseste Zittern ihres Körpers. Unsere Münder preßten sich aufeinander, und ich wollte in meinem Rausch ganz eins werden mit diesem Körper, der mir kurz zuvor fast gleichgültig gewesen war. Ich fühlte ihre geheimnisvolle Angst fast mit, versuchte, sie zu verstehen.

Wenn wir uns allein gegenüber säßen, mein Richter, würde ich Ihnen noch einige Einzelheiten berichten, ohne daß es mir wie eine Entweihung vorkäme. Wenn ich es schriebe, so sähe es so aus, als wollte ich nur wollüstig mehr oder weniger erotische Bilder beschwören.

Ach, ich bin so weit davon entfernt! Haben Sie jemals das Gefühl gehabt, dem Überirdischen ganz nahe zu sein? Dieses Gefühl hatte ich in jener Nacht. Es schien mir, ich könne eine Decke einreißen und plötzlich in unbekannte Räume aufsteigen.

Und diese Angst, die bei ihr immer stärker wurde...
Diese Angst, die ich mir selbst als Arzt nur mit einem dem meinen gleichen Wunsch erklären kann...

Ich bin das, was man einen anständigen Menschen nennt. Und ich bin immer vorsichtig gewesen. Ich habe Frau und Kinder. Wenn ich auch manchmal Liebe oder Lust anderswo als zu Hause gesucht habe, so hatte ich bis dahin doch

nie gewagt, mich in etwas einzulassen, das mein Familienleben bedrohen könnte. Sie verstehen mich, nicht wahr?
Aber dieser Frau gegenüber, die ich erst ein paar Stunden kannte, benahm ich mich, ohne daß ich etwas dagegen vermocht hätte, wie ein glühender Liebhaber, ja, wie ein Tier.
Weil ich nicht mehr aus und ein wußte, habe ich plötzlich mit der Hand nach dem elektrischen Schalter getastet. Ich habe sie in dem gelben Licht gesehen, und ich weiß nicht, ob es ihr bewußt war, daß ich ihr Gesicht jetzt sehen konnte.
Ihre starren Augen, ihr offener Mund, ihre zusammengekniffenen Nasenflügel verrieten eine unerträgliche Angst und zugleich den nicht weniger verzweifelten Willen, dieser Angst zu entgehen, ihrerseits die Decke zu durchbrechen, mit einem Wort, erlöst zu werden.
Ich habe diese Angst bis zu einem solchen Grad ansteigen sehen, daß ich als Arzt darüber erschrak, und ich war erleichtert, als sie plötzlich, nach einer letzten Anspannung all ihrer Nerven, matt und schlaff in die Kissen zurückfiel. Ihr Herz unter der kleinen Brust schlug so stark, daß ich sie nicht zu berühren brauchte, um die Pulsschläge zu zählen.
Ich habe es dennoch getan. Die Manie des Arztes. Furcht vielleicht vor der Verantwortung. Ihr Puls war hundertvierzig. Ihre farblosen Lippen waren halb geöffnet, und man sah ihre weißen Zähne, die so weiß waren wie die von Toten.
Sie hat etwas gestammelt wie:
»Ich kann nicht ...«
Und sie hat sich bemüht, zu lächeln. Sie hat meine große Hand ergriffen und hat sich daran geklammert.
Wir haben lange still so nebeneinander gelegen und darauf gewartet, daß ihr Puls wieder ungefähr normal wurde.
»Gib mir ein Glas Wasser ...«
Sie hat nicht daran gedacht, sich wieder zuzudecken, und

Sie können nicht ahnen, wie dankbar ich ihr dafür war.
Während ich ihr das Glas reichte und dabei ihren Kopf
stützte, habe ich auf ihrem Bauch eine noch frische Narbe
bemerkt, eine Narbe von einem häßlichen Rosa, die sich
quer darüberzog.
Diese Narbe war für mich als Arzt ungefähr das, was für
Sie, mein Richter, ein Auszug aus einer Gerichtsakte ist.
Sie versuchte nicht, sie mir zu verbergen. Sie stammelte:
»Mein Gott, wie müde bin ich ...«
Und zwei heiße Tränen tropften aus meinen Augen.

SECHSTES KAPITEL

Hätte ich das alles vor Gericht berichten können, hätte
ich es Ihnen in Ihrem Arbeitszimmer sagen können in Gegenwart Ihres rothaarigen Schreibers und Herrn Gabriels,
für den das Leben so einfach ist?
Ich weiß nicht, ob ich sie in jener Nacht geliebt habe, aber
ich weiß, daß, als wir kurz vor sieben Uhr morgens einen
eiskalten Zug bestiegen, ich mir das Leben schon ohne sie
nicht mehr vorstellen konnte, daß diese blasse, unausge-
schlafene Frau, die mir im garstigen Licht des Abteils gegenüber saß, an dessen Scheiben Regentropfen herunter-
liefen, daß diese Unbekannte mir näher war, als je ein
Mensch es gewesen.
Wir waren beide wie ausgehöhlt und sahen gewiß wie Gespenster aus. Als der Nachtportier, derselbe, der uns emp-
fangen hatte, uns weckte, sah er einen Lichtschein unter der
Tür, denn die Nachttischlampe brannte seit dem Augenblick, da ich sie, im Dunkel tastend, angeknipst hatte. Martine badete. Ich habe in Hose und mit bloßem Oberkör-
per, die Haare ganz zerzaust, aufgemacht und gefragt:
»Könnten wir vielleicht zwei Tassen Kaffee bekommen?«
Auch er wirkte wie ein Gespenst.
»Leider nicht vor sieben Uhr morgens, mein Herr.«
»Können Sie uns keinen machen?«

»Ich habe die Schlüssel nicht, es tut mir sehr leid...«

Hat er nicht ein wenig Angst vor mir gehabt? Draußen haben wir kein Taxi gefunden. Martine hängte sich an meinen Arm, und ich war in dem eisigen Regen wahrscheinlich ebenso unsicher auf den Beinen wie sie. Es war ein Glück, daß unsere nächtliche Wanderung uns in die Nähe des Bahnhofs geführt hatte.

»Ob der Wartesaal vielleicht offen ist?«

Er war es. Man servierte den Frühaufstehern schwarzen Kaffee oder Milchkaffee in dicken weißen Tassen. Schon der Anblick dieser Tassen widerte mich an. Martine wollte den Kaffee durchaus trinken, aber kurz darauf hat sie ihn auf dem Bahnsteig, ohne noch Zeit zu haben, zur Toilette zu laufen, wieder von sich geben müssen.

Wir sprachen nicht, aber sie blickte mich lächelnd an, als wir über die Loirebrücke fuhren. Meine kleinen Pakete lagen auf der Bank um mich verstreut. Wir saßen beide allein im Abteil. Ich hatte eine Pfeife im Mund, die aber nicht brannte.

Sie hat gemurmelt:

»Was wird wohl Armande sagen...?«

Mich hat das kaum schockiert, aber ein ganz klein wenig doch.

»Und du, erwartet dich jemand?«

»Herr Bouquet hat mir versprochen, eine möblierte Wohnung für mich zu suchen, in der ich kochen kann...«

»Hast du mit ihm geschlafen?«

Es ist erschreckend, mein Richter. Ich kannte sie noch nicht einmal volle zwölf Stunden. Aber die Narbe hatte mir verraten, daß sie nicht nur Liebhaber gehabt, sondern sich auch eine scheußliche Krankheit geholt hatte.

Dennoch spürte ich, als ich diese Frage stellte, einen heftigen Schmerz in der Brust und bekam einen Augenblick lang kaum Luft. Ich hatte dergleichen noch nie erlebt, aber seitdem habe ich ziemlich oft einen solchen Anfall gehabt, und ich empfinde darum brüderliches Mitleid für alle an Angina pectoris Leidenden.

»Ich habe dir doch gesagt, daß ich gar nicht die Zeit gehabt habe, mit ihm darüber zu sprechen ...«

Ich hatte geglaubt, daß, sobald wir im Zuge saßen und uns sozusagen auf neutralem Gelände befanden, wir wieder Sie zueinander sagen würden, aber zu meinem Erstaunen erschien uns das Du weiterhin ganz natürlich.

»Wenn du wüßtest, auf wie komische Weise ich seine Bekanntschaft gemacht habe ...«

»War er betrunken?«

Ich habe das darum gleich gefragt, weil ich Raoul Bouquet kenne. Ich habe Ihnen die amerikanische Bar in Nantes geschildert. Seit kurzem haben wir in La Roche-sur-Yon auch eine. Ich bin nur ein- oder zweimal zufällig dort gewesen. Man trifft dort vor allem einige Snobs, denen die Cafés der Stadt zu altmodisch sind, die dorthin gehen, um sich zu zeigen, die sich auf die hohen Hocker setzen und mit der gleichen Miene wie Martine am Tage zuvor die Zubereitung der Cocktails beobachten. Man sieht dort auch einige Frauen, keine Prostituierten, sondern brave Bürgerinnen, die gern modern wirken möchten.

Bei Bouquet ist das anders. Er ist so alt wie ich, vielleicht ein oder zwei Jahre jünger. Vor fünf Jahren hat er mit seinem Bruder Louis und seiner Schwester das von seinem Vater gegründete Warenhaus geerbt.

Raoul Bouquet trinkt, um zu trinken, ist grob, um grob zu sein, weil ihn, wie er sagt, alles ankotzt und er jedermann ankotzt. Auch seine Frau kotzt ihn an, und manchmal kommt er vier oder fünf Tage lang nicht nach Hause. Er ist ohne Mantel nur für eine Stunde ausgegangen, und man findet ihn dann zwei Tage später in La Rochelle oder Bordeaux mit einer ganzen Bande, die er irgendwo aufgetan hat. Sein Geschäft kotzt ihn auch an, außer in Krisenzeiten: Dann sieht man ihn vierzehn Tage oder drei Wochen lang fast nüchtern, und er beginnt die ganze Geschäftsführung umzumodeln.

Er fährt wie ein Irrer Auto. Absichtlich. Nach Mitternacht fährt er auf die Gehsteige, um einen braven Mann zu erschrecken, der auf dem Heimweg ist. Er hat schon unzählige Unfälle gehabt. Zweimal hat man ihm seinen Führerschein entzogen.

Ich kannte ihn besser als irgend jemand, weil ich ihn behandelte, und nun trat er in einem ganz anderen Licht in mein Leben, und ich bekam Angst vor ihm.

»Er trinkt viel, nicht wahr? Mir ist sofort der Gedanke gekommen, daß ihn das mehr interessiert als die Frauen...« Außer denen in den öffentlichen Häusern, wo er sich von Zeit zu Zeit austobt.

»Ich war mit einer Freundin in einer Bar in der Rue Washington in Paris... Du kennst sie vielleicht... Sie ist ganz in der Nähe der Champs Elysées... Er hatte getrunken und sprach sehr laut mit dem an seinem Tisch Sitzenden, vielleicht einem Freund, vielleicht jemandem, den er nicht kannte.

›Verstehst du‹, sagte er, ›mein Schwager kotzt mich an. Er ist falsch und hinterlistig, mein Schwager, aber in der Liebe scheint er ein Meister zu sein, denn meine Hure von Schwester kann nicht ohne ihn leben und sieht ihn nur mit ihren Augen... Erst vorgestern hat er sich meine Abwesenheit zunutze gemacht, um meine Sekretärin unter irgendeinem Vorwand hinauszuwerfen... Sobald er merkt, daß eine Sekretärin mir ergeben ist, macht er kurzen Prozeß mit ihr oder versucht, sie auf seine Seite zu ziehen, was für ihn leicht ist, da sie alle aus der Gegend sind... Gehört das Warenhaus den Bouquets? Ja oder nein? Ist er ein Bouquet, er, der Machoul heißt? Ja, Machoul, Mixer, wenn Sie nichts dagegen haben... Mein Schwager heißt Machoul, und sein glühendstes Verlangen ist es, mich ebenfalls vor die Tür zu setzen... Nun, mein Lieber, meine nächste Sekretärin hole ich mir aus Paris, ein Mädchen, das Oscar Machoul nicht kennt und das sich nicht von ihm beeindrucken läßt...«

Der Himmel wurde etwas heller. Bauernhöfe tauchten verschwommen aus dem Dunkel auf, und hier und da sah man in den Ställen Licht.

Martine erzählte in aller Ruhe weiter.

»Ich war am Ende, weißt du. Ich trank Cocktails mit meiner Freundin, weil sie sie mir spendierte, aber seit acht Tagen lebte ich von trockenen Brötchen und Milchkaffee. Plötzlich bin ich auf ihn zugegangen und habe gesagt: ›Wenn Sie eine Sekretärin haben wollen, die Machoul nicht kennt, dann nehmen Sie mich...‹«

Da ist mir vieles klar geworden, mein Richter. Und weil ich meinen Bouquet kannte, konnte ich mir die Szene deutlich vorstellen. Er hat gewiß, wie das sein Prinzip ist, sehr derb mit ihr gesprochen.

»Geht es dir dreckig?«

Und bestimmt hat er sie mit einer gespielt harmlosen Miene gefragt, ob sie bis jetzt in einem Büro oder in einem Bordell gearbeitet habe.

»Na, dann komm mal nach La Roche. Wir werden's versuchen.«

Er hat mit ihr getrunken, das ist sicher. Einer der Gründe, die mich daran hindern, in die Bar zu gehen, in der er immer tagt, ist, daß er wütend wird, wenn man es ablehnt, mit ihm zu trinken. Sie ist dennoch nach La Roche gekommen, mein Richter. Sie ist mit ihren beiden Koffern in eine Kleinstadt gereist, die sie nicht kannte.

»Warum bist du über Nantes gefahren und hast dort die Fahrt unterbrochen?«

»Weil ich in Nantes eine Freundin habe, die im belgischen Konsulat arbeitet. Ich hatte noch gerade so viel Geld, um meine Fahrkarte zu bezahlen, und ich wollte meinen Chef erst nach meiner Ankunft in La Roche um welches bitten.«

Unser Zug hielt an allen kleinen Bahnhöfen. Männer riefen die Namen der Orte aus, rannten hin und her, öffneten und schlossen die Türen, luden die Postsäcke und das Stückgut auf Karren.

Eine seltsame Atmosphäre, mein Richter, um ihr schamhaft zu sagen, nachdem ich, ich weiß nicht wie lange, gezögert hatte:

»Wirst du nicht mit ihm schlafen?«

»Aber nein.«

»Selbst wenn er dich darum bittet? Selbst wenn er es fordert?«

»Aber nein.«

»Weder mit ihm noch mit sonst jemandem?«

Von neuem diese Angst, die mir so oft meine an Angina pectoris leidenden Kranken zu schildern versucht haben. Man glaubt zu sterben, der Tod scheint ganz nahe, das Leben hängt nur noch an einem Faden. Und dennoch habe ich keine Angina pectoris.

»Weder mit ihm noch mit sonst jemandem?«

»Ich verspreche es«, antwortete sie lächelnd.

Wir haben nicht von Liebe gesprochen. Wir waren wie zwei erschöpfte, nasse Hunde in einem Abteil zweiter Klasse an einem Dezembermorgen, an dem es, da die Sonne nicht schien, nur sehr zögernd hell wurde.

Dennoch habe ich ihr geglaubt, und sie hat mir geglaubt. Wir saßen nicht nebeneinander, sondern einander gegenüber, denn wir mußten auf jede unserer Bewegungen achten, damit uns nicht übel wurde, und bei jedem Rucken des Zuges dröhnte uns der Schädel.

Wir blickten uns an, als ob wir uns schon ewig kannten, ohne jedes Getue, Gott sei Dank. Erst als ich kurz vor La Roche meine Pakete zusammenlas, hat sie sich gepudert und ihre Lippen rot angemalt und sich dann eine Zigarette angesteckt.

Das tat sie nicht meinetwegen, mein Richter. Sie wußte, daß sie für mich das alles nicht mehr brauchte. Für die anderen? Ich frage es mich. Aus Gewohnheit wahrscheinlich oder vielmehr, um sich nicht mehr so nackt zu fühlen, denn wir fühlten uns beide fast ebenso nackt wie in dem Hotelzimmer.

»Hör mal, es ist noch zu früh, um Bouquet anzurufen, und das Warenhaus öffnet erst um neun Uhr. Ich werde dich ins Hotel de l'Europe bringen. Es ist besser, du schläfst erst ein paar Stunden ...«

Schon seit einer Weile merkte ich, daß sie mir eine Frage

stellen wollte. Aber ich, ich weiß nicht warum, wollte sie nicht hören, ich hatte Angst davor. Sie hat mich ergeben, gehorsam angeblickt, hören Sie, mein Richter, gehorsam, und hat nur gesagt:

»Gut.«

»Ich werde dich gegen Mittag anrufen, oder ich werde bei dir vorbeikommen... Nein, das werde ich nicht können, weil ich dann Sprechstunde habe... Komm zu mir... Zu einem Arzt kann man immer kommen...«

»Aber Armande?...«

»Du kommst durch das Wartezimmer herein wie eine Kranke...«

Das ist lächerlich, nicht wahr? Aber ich hatte solche Angst, sie zu verlieren. Ich wollte um keinen Preis, daß sie zu Bouquet ging, ehe sie bei mir gewesen war. Ich wollte, daß sie überhaupt niemanden sah, obwohl ich das selber noch nicht wußte. Ich zeichnete für sie auf die Rückseite eines alten Umschlags den Plan eines Teils der Stadt, den Weg vom Hotel de l'Europe zu meinem Hause. Auf dem Bahnhof habe ich einen Gepäckträger gerufen, den ich kannte, und ich war plötzlich sehr stolz darauf, hier bekannt zu sein.

»Hol uns ein gutes Taxi, Prosper.«

Ich folgte ihr. Ich ging ihr voraus. Ich kreiste wie ein Hütehund um sie herum. Ich grüßte den Stellvertreter des Bahnhofsvorstehers heiter. Ein paar Sekunden lang habe ich vergessen, daß ich einen Brummschädel hatte.

Obwohl mich der Chauffeur genau kannte, habe ich im Taxi Martines Hand gehalten, habe mich wie ein Verliebter zu ihr hinübergebeugt und habe mich dessen nicht geschämt.

»Vor allem geh nicht aus. Rufe niemanden an, bevor du bei mir warst... Es ist jetzt acht Uhr... Nehmen wir an, du schläfst bis elf, selbst bis halb zwölf... Meine Sprechstunde dauert am Mittwoch bis ein Uhr... Du mußt mir versprechen, daß du zu niemandem gehen, mit niemandem telefonieren wirst... Versprich es, Martine...«

Ich frage mich, ob ihr bewußt war, was ihr eigentlich geschah.

»Ich verspreche es.«

Wir haben uns nicht geküßt. Auf der Place Napoléon war kein Mensch, als das Taxi vor dem Hotel de l'Europe gehalten hat. Ich bin zu Angèle, der Wirtin, in die Küche gegangen, wo sie jeden Morgen ihrem Koch ihre Anweisungen gab.

»Ich brauche ein gutes Zimmer für eine Dame, die sehr erschöpft ist und die mir ein Kollege aus Paris schickt.«

»Gewiß, Herr Doktor . . .«

Ich bin nicht mit ihr hinaufgegangen. Als ich die Stufen vor dem Hotel hinuntergestiegen war, habe ich mich noch einmal umgedreht. Durch die Glastür mit den von der Feuchtigkeit blinden Messingbeschlägen habe ich sie auf dem roten Teppich der Halle stehen sehen. Sie sprach mit Angèle, die dem Hausdiener ein Zeichen machte, ihre beiden Koffer hinaufzutragen. Ich sah sie, aber sie sah mich nicht. Sie sprach, aber ich hörte ihre Stimme nicht. Der Gedanke, mich für eine auch nur kurze Zeit von ihr zu trennen, war mir so unerträglich, daß ich fast umgekehrt wäre und sie mitgenommen hätte.

Als ich allein im Taxi saß, spürte ich wieder meine Müdigkeit und den stechenden Schmerz in den Schläfen und das Gefühl des Erstickens in der Brust.

»Zu Ihnen, Herr Doktor?«

Ja, zu mir: es stimmt, zu mir. Und auf der Bank lagen viele kleine Pakete, darunter das mit den berühmten Knöpfen für eine Jacke, die sich Armande nach ihrem eigenen Entwurf von der besten Schneiderin der Stadt machen ließ. Zu mir, da dieser Mann es sagte! Übrigens stand mein Name auf dem Messingschild am Tor. Babette, unser Mädchen, kam auf den Chauffeur zugeeilt, der meine Pakete trug, und im ersten Stock bewegte sich im Zimmer meiner Töchter eine Gardine.

»Ist der Herr Doktor nicht sehr müde? Ich hoffe, der Herr Doktor frühstückt erst einmal. Die gnädige Frau hat sich schon zweimal nach dem Herrn Doktor erkundigt. Bestimmt hat der Zug, wie ich es ihr gesagt habe, wieder einmal Verspätung gehabt.«

Die Diele mit den cremefarbenen Wänden und meinen Mänteln, Hüten und meinem Stock in der Garderobe. Die Stimme meiner Jüngsten oben:

»Bist du's, Papa? Warst du beim Weihnachtsmann?«

Ich fragte Babette:

»Sind schon viele da?«

Weil man bei den Ärzten der kleinen Leute Schlange steht und die Patienten sich oft schon früh einfinden. Der Duft von Kaffee. An diesem Morgen verursachte er mir Übelkeit. Ich zog meine durchnäßten Schuhe aus und sah, daß ich in dem einen meiner Strümpfe ein großes Loch hatte.

»Aber der Herr Doktor hat ja ganz nasse Füße...«

»Pst, Babette...«

Ich stieg die weiße Treppe hinauf, deren rosa Läufer von Messingstangen festgehalten wird. Ich küßte meine ältere Tochter, die gerade zur Schule gehen wollte. Armande machte das Bad für die jüngere zurecht.

»Ich verstehe nicht, warum du nicht wie sonst bei Gaillards geschlafen hast... Als du mich gestern abend anriefst, machtest du einen sonderbaren Eindruck... War dir nicht wohl?... Hat etwas nicht geklappt?«

»Nein, ich habe alle Besorgungen gemacht...«

»Ich werde mir die Sachen nachher unten ansehen... Frau Gringuois hat heute morgen wieder angerufen und bittet dich, gleich zu ihr zu kommen... Sie kann nicht herkommen... Sie hat gestern zwei Stunden lang im Salon gewartet und mir ihre Leidensgeschichte erzählt...«

»Ich ziehe mich schnell um und fahre dann zu ihr.«

An der Tür drehte ich Tölpel mich noch einmal um.

»Übrigens...«

»Was?«

»Nichts... Bis nachher...«

Ich hätte ihr fast sofort gesagt, daß jemand zum Mittagessen zu uns komme, jemand, den ich zufällig getroffen hätte, die Tochter eines Freundes, was weiß ich. Ich war bereit, irgend etwas zu erfinden.

Es war naiv und töricht, und dennoch hatte ich beschlossen, daß Martine bei uns zu Mittag aß. Sie sollte ihre erste Mahlzeit in La Roche bei mir zu Hause einnehmen, und ich wollte sogar, denken Sie darüber, was Sie wollen, daß sie Armande kennenlernte, von der ich ihr so viel erzählt hatte. Ich habe gebadet, habe mich rasiert, habe meinen Wagen aus der Garage geholt und bin zu meiner alten Patientin gefahren, die ganz allein in einem kleinen Haus am anderen Ende der Stadt wohnt. Zweimal bin ich absichtlich am Hotel de l'Europe vorbeigefahren und habe zu den Fenstern hinaufgeblickt. Angèle hatte mir gesagt, sie werde ihr das Zimmer Nr. 78 geben. Ich wußte nicht, wo dieses Zimmer lag, aber im zweiten Stock war eins, dessen Vorhänge geschlossen waren, und ich habe es gerührt betrachtet.

Ich bin in die Poker-Bar gegangen, mein Richter, jenes Lokal, von dem ich Ihnen schon gesprochen habe und das ich kaum je betrat. Ich habe an diesem Morgen dort nüchtern ein Glas Weißwein getrunken, und es hat mir den Magen umgekehrt.

»Ist denn Bouquet noch nicht da?«

»Nach der tollen Nacht, die er und seine Bande hinter sich haben, wird man ihn wohl kaum vor fünf oder sechs Uhr abends sehen. Die Herren waren bis zur Abfahrt des ersten Zuges nach Paris hier ...«

Als ich nach Hause kam, telefonierte Armande gerade mit ihrer Schneiderin, um ihr zu sagen, daß sie die Knöpfe habe, und sich mit ihr zu verabreden. Ich habe meine Mutter nicht gesehen. Ich bin in mein Sprechzimmer gegangen und habe meine Patienten einen nach dem anderen durchgeschleust. Je mehr Zeit verging, desto mehr hatte ich das Gefühl, daß ich im Begriff war, mein Leben zu verpfuschen. Das Wetter war grau und freudlos. Die Fenster meines Arbeitszimmers, in dem ich meine Verordnungen niederschreibe, gehen auf den Garten, von dessen Sträuchern es leise auf den Boden tropfte. Das Fenster meines Sprechzimmers hat

Scheiben aus Mattglas, und man muß dort den ganzen Tag Licht brennen.

Ein Gedanke drängte sich mir auf, der mir zunächst absurd vorkam, aber es allmählich immer weniger zu sein schien, während ein Kranker den anderen ablöste. Hatte ich nicht mindestens zwei Kollegen in La Roche-sur-Yon, die, obwohl ihre Praxis viel kleiner war als meine, sich eine Sprechstundenhilfe leisteten? Gar nicht zu reden von den Fachärzten wie meinem Freund Dambois, die alle eine Assistentin haben.

Ich haßte Raoul Bouquet, und dennoch, mein Richter, kann ich Ihnen sagen — denn ein Arzt weiß nun einmal so manches —, daß ich ihn als Mensch ganz und gar nicht beneiden konnte. Im Gegenteil! Und gerade weil er verseucht war, machte mich der Gedanke rasend, daß es zu irgendeiner Intimität zwischen ihm und Martine kommen könnte. Elf Uhr, verstehen Sie? Halb zwölf. Ein armes Mädchen, ich sehe sie noch, mit Ziegenpeter und einem riesigen Verband um den Kopf. Dann ein Panaritium, das geschnitten werden mußte. Und immer wieder andere, die die Vorhergehenden auf den Bänken ablösten.

Sie würde nicht kommen. Es war unmöglich, daß sie kam. Und warum sollte sie auch kommen?

Ein Mann, der bei der Arbeit verunglückt war und den man mir in einem Lieferwagen brachte, weil ich Kassenarzt bin. Er zeigte mir seinen zerschmetterten Daumen und sagte prahlerisch:

»Schneiden Sie ihn nur ab. Aber schneiden Sie doch! Ich wette, Sie haben nicht den Mut, zu schneiden. Muß ich es selber tun?«

Als ich ihn wieder hinausgeführt habe, rann mir der Schweiß über die Lider, und ich konnte fast nichts sehen, so daß ich beinahe schon den nächsten Patienten in mein Sprechzimmer geholt hätte, ohne zu bemerken, daß sie in demselben dunklen Kostüm wie am Tage zuvor und mit demselben Hut auf dem Kopf ganz am Ende einer der beiden Bänke saß.

Meine Kehle war wie zugeschnürt, ja wirklich wie zugeschnürt. Statt mit einer Hand die Tür meines Sprechzimmers aufzuhalten, wie ich es sonst tue, bin ich durch den
Raum gegangen.
Sie hat mir später gesagt, ich hätte unheimlich ausgesehen.
Das mag sein. Ich hatte zu große Angst. Und ich versichere
Ihnen auf Ehre, es war mir in diesem Augenblick höchst
gleichgültig, was die fünf oder sechs Kranken denken moch-
ten, die vielleicht schon seit Stunden darauf warteten, an
die Reihe zu kommen.
Ich habe mich vor sie gestellt. Auch das weiß ich nur von
ihr. Ich wußte gar nicht mehr, was ich tat. Mit zusam-
mengepreßten Zähnen habe ich fast drohend zu ihr gesagt:
»Komm herein . . .«
Habe ich wirklich unheimlich ausgesehen? Dafür war meine
Angst viel zu groß.
Als wir beide in meinem Sprechzimmer waren, habe ich
einen Seufzer ausgestoßen, der wie ein heiseres Stöhnen
klang, und habe gesagt:
»Du bist gekommen . . .«

*

Was man mir am meisten in dem Prozeß vorgeworfen hat,
ist, daß ich eine Frau, meine Geliebte, in mein Haus, in
meine Familie eingeführt habe. In den Augen der Öffent-
lichkeit ist das, glaube ich, mein größtes Verbrechen. Man
hätte mir notfalls verziehen, daß ich getötet habe, aber
daß ich Martine mit Armande bekannt machte, hat die
Leute so empört, daß sie nicht wußten, mit welchen Worten sie mein Verhalten bezeichnen sollten.
Was hätten Sie getan, mein Richter? Konnte ich sofort weggehen, gleich am ersten Tag? Wäre Ihnen das natürlicher
erschienen?
Wußte ich überhaupt, wohin wir gehen sollten? Ich wußte
nur eins, daß ich sie nicht mehr entbehren konnte, und
daß ich einen so heftigen körperlichen Schmerz empfand

wie der Kränkeste meiner Kranken, sobald sie nicht bei mir war, sobald ich sie nicht sah, nicht hörte.

Dann war plötzlich eine vollkommene Leere um mich.

Ist das so außergewöhnlich? Bin ich der einzige Mann, der das erlebt hat?

Bin ich der erste, der alle jene gehaßt hat, die sich ihr in meiner Abwesenheit nähern konnten?

Man hätte es glauben können, wenn man jene Herren hörte, die bald eine entrüstete, bald eine mitleidige Miene aufsetzten. Öfter eine entrüstete.

Als ich sie im Licht meines Sprechzimmers sah, war ich fast enttäuscht. Sie wirkte wieder so, wie sie *vorher* gewirkt hatte. Vielleicht, weil ihr nicht sehr wohl zumute war, trug sie wieder die Sicherheit einer Barbesucherin zur Schau.

Ich suchte nach Spuren dessen, was wir gemeinsam erlebt hatten, und fand sie nicht.

Trotzdem ließ ich sie nicht gehen. Ich hatte noch mindestens eine Stunde zu tun. Ich hätte sie bitten können, wiederzukommen. Aber ich wollte nicht, daß sie ging.

»Hör mal ... du wirst bei uns essen ... Aber ja ... Du brauchst von unserer gestrigen Begegnung nichts zu erwähnen, denn Armande ist mißtrauisch und meine Mutter noch mehr ... Für sie beide hast du mich heute morgen mit einer Empfehlung von Dr. Artari in Paris – den ich ein wenig kenne und den meine Frau nicht kennt – aufgesucht ...«

Das beruhigte sie nicht, aber sie spürte deutlich, daß es nicht der Augenblick war, sich mir zu widersetzen.

»Du kannst von Bouquet sprechen ... Das ist sogar besser ... Dennoch laß durchblicken, daß du bei einem Arzt gearbeitet hast, bei Artari zum Beispiel ...«

Ich hatte es so eilig, dies alles, das mir wunderbar erschien, einzufädeln, daß ich schon die Hand auf die Klinke der Verbindungstür zum Hause gelegt hatte.

»Mein Name ist Englebert«, sagte sie. »Martine Englebert ... Ich bin Belgierin, aus Lüttich ...«

Sie lächelte. Stimmt ja, ich wußte ihren Familiennamen

noch nicht, und das wäre peinlich für mich geworden, wenn ich sie vorstellte.

»Du wirst schon sehen ... laß mich nur machen ...«

Ich war wie von Sinnen. Es hilft nichts, ich muß das sagen, auch wenn Sie es lächerlich finden, mein Richter. Ich nahm sie in mein Haus auf. Es war fast eine Falle. Ich hatte ein wenig das Gefühl, von ihr Besitz zu ergreifen, und es hätte nicht viel gefehlt und ich hätte sie eingeschlossen. Ich hörte das Husten eines Kranken im Wartezimmer.

»Komm ...«

Ich berührte ihre Lippen mit meinen Lippen. Ich ging ihr voraus. Es war meine Diele, links mein Salon; der Geruch war der Geruch meines Hauses, und sie war in meinem Hause.

Ich habe Mama im Salon bemerkt und bin auf sie zugestürzt.

»Mama, ich möchte dir ein junges Mädchen vorstellen, das mit einer Empfehlung von Dr. Aturtari, einem Pariser Arzt, den ich kenne, zu mir gekommen ist ... Sie will in La Roche arbeiten und kennt hier noch niemanden ... Ich habe sie zum Mittagessen zu uns eingeladen ...«

Mama erhob sich und ließ dabei ihr Wollknäuel fallen.

»Ich vertraue sie dir an ... Ich bin mit meiner Sprechstunde noch nicht fertig ... sag Babette, sie soll uns ein gutes Mittagessen kochen ...«

Hätte ich fast gesungen? Ich frage mich jetzt, ob ich, als ich die Tür meines Sprechzimmers hinter mir schloß, nicht geträllert habe. Ich hatte das Gefühl, einen großen Sieg errungen zu haben, und war so stolz auf meine List! Bedenken Sie doch, ich hatte sie Mamas Schutz anvertraut. Während sie zusammen waren, würde kein Mann mit ihr sprechen. Und Martine würde, ob sie es wollte oder nicht, weiter in meiner Atmosphäre leben.

Selbst wenn Armande herunterkam — ich wußte nicht, ob sie ausgegangen war, aber sie würden bald einander gegenüberstehen.

Nun, Armande würde sie ebenfalls für mich bewachen.

So munter und erleichtert, wie ich es wohl noch nie vorher gewesen war, öffnete ich die Tür zum Wartezimmer.
Der Nächste! Und wieder der Nächste! Machen Sie den Mund auf... Husten Sie... Atmen Sie... Halten Sie den Atem an...
Sie war dort, zehn Meter von mir entfernt. Wenn ich mich der kleinen Hintertür näherte, konnte ich ein Stimmengemurmel hören. Ich konnte zwar nicht ihre Stimme erkennen, aber sie war trotzdem da.
Sie waren, glaube ich, dabei, als der Staatsanwalt nicht mich, sondern, die Arme zum Himmel hebend, irgendeine geheimnisvolle Macht gefragt hat:
»Was konnte dieser Mann erhoffen?«
Ich habe gelächelt. Mein häßliches Lächeln. Ich habe gelächelt und habe leise gesagt, aber doch so deutlich, daß einer meiner Wächter es hören konnte:
»Glücklich zu sein...«
Ich habe mir diese Frage nie gestellt. Ich war trotz allem nüchtern genug, um alle möglichen Komplikationen und Schwierigkeiten vorauszusehen.
Sprechen wir nicht von dem Abrutschen ins Laster, wie es irgendein Dummkopf bei dem Prozeß getan hat. Es gab kein Abrutschen, und es gab kein Laster.
Es gab einen Mann, der nicht anders handeln konnte, als er handelte, und das ist alles. Der es nicht konnte, weil das, worum es nach vierzig Jahren plötzlich ging, sein eigenes Glück war, über das sich niemand, und auch er selber nicht, jemals Gedanken gemacht hatte, ein Glück, das er nicht gesucht hatte, das ihm in den Schoß gefallen war und das er nicht verlieren durfte.
Entschuldigen Sie, wenn ich Sie schockiere, mein Richter. Schließlich habe doch auch ich das Recht zu sprechen. Und ich bin den anderen darin voraus, daß ich weiß, wovon ich spreche. Ich habe den Preis gezahlt. Sie haben nichts gezahlt, und ich erkenne ihnen deshalb nicht das Recht zu, sich mit dem zu befassen, von dem sie nichts wissen.
Ich muß das sagen, auch wenn Sie, wie die anderen, es als

Zynismus bezeichnen. In meiner jetzigen Lage hat das keinerlei Bedeutung mehr. Mag es Zynismus sein: von jenem Morgen an, vielleicht auch schon ich weiß nicht mehr von welchem Augenblick in der Nacht an, war ich von vornherein bereit, alles auf mich zu nehmen, was kommen könnte.

Alles, mein Richter. Hören Sie?

Alles — alles, nur das eine nicht, sie zu verlieren. Alles, nur nicht, sie weggehen zu sehen, ohne sie zu leben, wieder in der Brust diesen furchtbaren Schmerz zu fühlen.

Ich hatte keinen vorgefaßten Plan. Es ist falsch, wenn man behauptet, daß ich, als ich sie meiner Mutter vorstellte, entschlossen gewesen sei, meine Konkubine — mein Gott, was denken sich manche Leute bei den Worten, die sie aussprechen! — in mein Haus zu setzen.

Ich mußte sie erst einmal an einen sicheren Ort bringen. Alles übrige würde sich später finden. Worauf es ankam, war, sie an jedem Kontakt mit Bouquet, an jedem Kontakt mit irgendeinem Mann zu hindern.

Ich habe meine Sprechstunde beruhigt fortgesetzt. Als ich in den Salon kam, saßen die drei Frauen dort wie Damen, die einander besuchen, und Martine hatte meine jüngere Tochter auf dem Schoß.

»Ich freue mich, daß ich nun auch Ihre Frau kenne«, sagte sie zu mir ohne Ironie, ohne irgendeine Absicht, nur weil sie eben etwas sagen mußte.

Auf dem kleinen Tisch standen drei Gläser Portwein und in der Mitte unsere schöne Karaffe aus geschliffenem Kristall. Der Salon war an diesem Morgen wirklich hübsch, und die Tüllgardinen verhüllten das Grau draußen.

»Fräulein Englebert hat uns viel von ihrer Familie berichtet...«

Armande hat mir ein kleines Zeichen gemacht, das ich gut kenne und das bedeutet, daß sie mich allein sprechen möchte.

»Ich muß in den Keller gehen und eine gute Flasche holen«, sagte ich.

Und dann, ohne Komödie, ich schwöre es Ihnen, heiter, weil ich heiter war:

»Sagen Sie, Fräulein Englebert, trinken Sie lieber Weiß- oder Rotwein, herben oder milden?«

»Herben, wenn Ihre Frau den auch lieber mag...«

Ich bin hinausgegangen, und Armande ist mir nachgekommen.

»Glaubst du, daß wir sie im Hotel lassen können, bis sie eine Wohnung findet? Sie ist heute morgen im l'Europe abgestiegen. Wenn sie auf Empfehlung von Artari kommt. ... Was schreibt er in seinem Brief?...«

Ich hatte nicht daran gedacht, daß ich einen Brief hätte haben müssen.

»Er bittet mich, ihr die erste Zeit hier zu erleichtern... Er hält nicht viel von der Stellung, die ihr bei Bouquet angeboten worden ist, aber das werden wir später sehen...«

»Wenn ich wüßte, daß sie nur für zwei bis drei Tage bliebe, würde ich ihr das grüne Zimmer geben...«

Das grüne Zimmer! Neben dem von Mama, und von dem meinen durch das unserer Töchter getrennt.

»Das kannst du machen, wie du willst...«

Arme Martine, die uns gewiß im Flur flüstern hörte und die nicht wußte, die nicht ahnen konnte, welche Wendung die Dinge nahmen. Mama sprach mit ihr, und sie tat so, als ob sie zuhörte, während sie die Ohren spitzte, um von unserem Gespräch etwas zu erhaschen.

Sie würde Bouquet nicht sehen. Sie würde nicht bei ihm arbeiten. Das stand jetzt fest. Ich legte mich tüchtig ins Zeug, wie Sie sehen. Aber nicht ich war es, es war das Schicksal, mein Richter, es war etwas, das stärker war als wir.

Ich war Armande so dankbar, daß ich sie während des Mittagessens angesehen habe, wie ich sie sicherlich bis dahin noch nie angesehen hatte, mit einer wirklichen Zärtlichkeit. Ein ausgezeichnetes Essen, dessen Bereitung zu überwachen, Mama erreicht hatte. Wir hatten keinen Hunger, und wir aßen, ohne es zu merken. Unsere Augen lachten.

Wir waren heiter. Alle waren wie durch ein Wunder heiter, mein Richter.

»Mein Mann wird nachher Ihr Gepäck im Hotel abholen. Aber natürlich! Ich glaube nicht, daß es im Augenblick schwierig ist, eine möblierte Wohnung zu finden. Nach dem Essen werde ich deswegen ein paar Telefongespräche führen . . .«

Wir wollten zusammen zum Hotel fahren. Es verlangte uns schon, allein zu sein. Wir wagten nicht, die Dinge zu überstürzen. Der Vorschlag durfte nicht von mir kommen. Da habe ich gesehen, wie durchtrieben Martine war, wie hurenhaft, möchte ich sagen. Die Damen tranken ihren Kaffee. Ich verabschiedete mich.

»Hätten Sie etwas dagegen, Madame, wenn ich mit Ihrem Mann zum Hotel führe?«

Und mit leiser Stimme, als mache sie ein Geständnis:

»Es liegen dort verschiedene Kleinigkeiten von mir herum und . . .«

Armande hatte verstanden. Kleine Frauengeheimnisse! Weibliche Scham! Es gehörte sich nicht, daß ein fremder Mann in das Zimmer eines jungen Mädchens eindrang und ihre Wäsche und ihre persönlichen Gegenstände in die Hand nahm.

Ich höre noch, wie Armande mir, während Martine ihren komischen kleinen Hut vor dem Spiegel in der Diele aufsetzte, ganz leise sagte:

»Laß sie allein hinaufgehen . . . Das ist taktvoller . . . Es wäre für sie peinlich . . .«

Das Auto. Mein Auto. Wir beide darin, ich am Steuer, sie neben mir, und meine Stadt, die Straßen, durch die ich jeden Tag kam.

»Das ist wunderbar . . .«, sagte ich.

»Hast du nicht ein wenig Angst davor? Glaubst du, daß wir es annehmen sollen?«

Sie mokierte sich jetzt nicht mehr über Armande. Sie schämte sich vor sich selbst.

Aber niemand in der Welt hätte mich dazu bringen kön-

nen, auf dies alles zu verzichten. Ich ging mit ihr hinauf.
Noch bevor ich die Tür hinter uns zumachte, preßte ich sie
so heftig an mich, daß sie fast erstickte, und küßte sie mit
verzehrender Leidenschaft. Das Bett war noch nicht gemacht. Dennoch kam mir nicht der Gedanke, sie darauf zu
werfen. Soviel es mir bedeutete, mit ihr zu schlafen, dies
war nicht der Augenblick dafür.
Wir hatten jetzt etwas anderes zu tun. Ich mußte sie ein-
holen, mein Richter, und ich habe sie so triumphal eingeholt, wie wohl noch nie ein Mann die ihm eben angetraute
Frau eingeholt hat. Ich durfte aber nichts von meiner strah-
lenden Freude zeigen.
»Ich habe bereits telefoniert« sagte Armande, »und man
hat mir eine Adresse genannt.«
Und dann zog sie mich beiseite und sagte leise:
»Es ist schicklicher, daß ich sie dorthin begleite...«
Ich habe zugestimmt. Die Hauptsache war, daß jemand sie
bewachte, und es schien mir ganz natürlich, daß das meine
Mutter oder Armande tat.
Doppelspiel? Heuchelei?
Nein, mein Richter. Nein und nochmals nein! Lassen Sie
das denen sagen, die nicht wissen, Sie, der vielleicht bald
wissen wird, Sie, der, wenn ich mich nicht täusche, eines
Tages wissen wird.
Die unwiderstehliche Gewalt über das Leben, das Leben
schlechthin, die mir endlich gegeben war, der ich so lange
nur ein Mensch ohne Schatten gewesen.

SIEBENTES KAPITEL

Ich habe nichts von dem, was in jenen Tagen geschah, vergessen, und doch vermag ich nicht, die Geschehnisse chro-
nologisch zu rekonstruieren. Es ist ein Gewirr von Erinnerungen, die jede ihr eigenes Leben hat, die jede ein Ganzes bildet, und oft sind es gerade die unwichtigsten, die ich
am deutlichsten vor mir sehe.

Ich sehe mich zum Beispiel an jenem Nachmittag um sechs Uhr die Tür zu der Poker-Bar aufstoßen. Am Morgen hatte ich noch so etwas wie einen Grund, dorthin zu gehen, aber jetzt hatte ich beschlossen, daß Martine, was auch kommen mochte, nicht Raoul Bouquets Sekretärin würde. Und sehen Sie, ich täusche mich vielleicht: Ich frage mich plötzlich, ob ich nicht erst am nächsten Tage dort war. Ich spüre noch den eisigen Wind, der mir entgegenschlug, als ich aus dem Auto stieg, ich sehe wieder die wenigen Lichter der sich leicht neigenden Straße vor mir, Lichter von Geschäften, die bei einem solchen Hundewetter kaum jemanden anzulocken vermögen.

Ganz dicht vor mir das cremefarbene, ein wenig rosige Licht der Bar, und kaum hatte ich die Tür geöffnet, befand ich mich in einer Atmosphäre der Wärme und Herzlichkeit. In dem dichten Rauch der Pfeifen und Zigaretten sah man so viele Leute, daß der Hereinkommende das Gefühl hatte, ein Einzelgänger zu sein. Die Straßen waren darum so leer, weil alle sich in der Poker-Bar und anderen Lokalen der gleichen Art hinter verschlossenen Türen, wo man sie nicht sah, verabredet hatten.

Was wollte ich hier? Nichts. Ich war hier, um Bouquet zu betrachten, nicht einmal, um ihn herauszufordern, denn ich konnte ihm nichts sagen. Ich wollte nur einen Mann betrachten, der eines Abends, als er betrunken war, Martine kennengelernt, mit ihr gesprochen — vor mir —, sie zum Trinken eingeladen hatte und fast ihr Chef geworden wäre. Wäre er obendrein ihr Liebhaber geworden?

Ich habe nicht mit ihm gesprochen. Er war zu betrunken dafür und hat meine Anwesenheit gar nicht bemerkt.

Hier im Gefängnis, wo man so ungestört nachdenken kann, ist mir etwas klar geworden. Soweit ich zurückdenken kann, gab es zu Weihnachten in der Vendée nur selten Schnee, sondern fast immer eine trockene Kälte.

Aber in jenem Jahr — im letzten Jahr, mein Richter! — war es immer trübe. In vielen Büros brannte den ganzen Tag das Licht. Das Pflaster war schwarz vom Regen, und abends wurde es sehr früh dunkel, und die verstreuten Lichter in der Stadt wirkten traulich und traurig zugleich. Mich hat das an Caen erinnert, aber ich hatte nicht die Zeit, mich in die Vergangenheit zu versenken. Ich lebte in einer solchen ständigen Spannung, daß ich mich jetzt frage, wie ich sie habe ertragen können, und sei es nur körperlich, und vor allem, wieso all jene, die mit mir zu tun hatten, nicht gemerkt haben, was mir geschehen war.

Wie haben manche Menschen mich kommen und gehen sehen können, ohne zu ahnen, daß ich etwas ganz Ungewöhnliches erlebte? Bin ich wirklich der einzige gewesen, dem das bewußt geworden ist? Armande hat mich mehrmals mit besorgter Neugier angeblickt. Nicht um mich besorgt. Besorgt, weil es ihr schrecklich war, wenn sie etwas nicht verstand, weil sie instinktiv alles von sich schob, was die Welt, die sie sich geschaffen hatte, bedrohen konnte.

Das Glück war mit mir. Wir hatten gerade eine Grippeepidemie und fast gleichzeitig eine Scharlachepidemie, die mich von morgens bis abends und manchmal von abends bis morgens in Atem gehalten haben. Das Wartezimmer leerte sich nie. Unter dem Glasdach sah man immer längs der Mauer ein Dutzend tropfender Regenschirme, und die Fußböden waren mit den feuchten Spuren und dem Schmutz vieler Stiefel bedeckt. Das Telefon läutete unaufhörlich. Schlauberger oder Freunde kamen durch den Privateingang, und man ließ sie zwischen zwei gewöhnlichen Patienten diskret zu mir herein. Ich nahm dieses ganze Getriebe heiter hin, ich brauchte diesen Tumult, um eine Entschuldigung für den Tumult in mir zu haben.

Es war Martine und mir fast unmöglich, uns allein zu sehen. Aber sie war bei mir, und das genügte mir. Ich war absichtlich laut, damit sie mich hörte, damit sie sich unaufhörlich meiner Gegenwart bewußt war. Morgens habe ich beim Rasieren geträllert, und sie hat das so gut verstanden, daß ich sie einige Augenblicke später in ihrem Zimmer singen hörte.

Auch Mama hat es verstanden, ich möchte meine Hand dafür ins Feuer legen. Aber sie hat nichts gesagt. Sie hat sich nichts anmerken lassen. Mama hatte keinen Grund, Armande zu lieben, im Gegenteil. Ist es unanständig, mir vorzustellen, daß meine Mutter innerlich jubelte, wenn sie derlei entdeckte, das sie ängstlich für sich behielt?

Jedenfalls hatte sie, wie ich später erfahren habe — sie hat es mir übrigens selber gestanden —, schon am zweiten oder dritten Tag alles erraten, und es ist mir jetzt fast ein peinlicher Gedanke, daß Dinge, die ich für so geheim hielt, die allein die Liebe entschuldbar machte, einen stummen Zeugen gehabt haben.

Am Morgen des dritten Tages ist Armande, um mich nicht zu belästigen, mit Martine im Taxi zu Frau Debeurre gefahren, wo sie für sie ein Zimmer und eine Küche gefunden hatte.

Der zweite, der dritte Tag! Das alles kam mir damals wie eine Ewigkeit vor. Und obwohl es kaum ein Jahr her ist, erscheint es mir jetzt so fern, ferner zum Beispiel, als die Diphtherie meiner Tochter, als meine Hochzeit mit Armande vor zehn Jahren, weil in diesen zehn Jahren sich nichts Wesentliches ereignet hat.

Für Martine und mich dagegen veränderte sich die Welt von Stunde zu Stunde, alles ging so schnell, daß wir nicht immer die Zeit hatten, uns über das, was geschah, auf dem laufenden zu halten.

Ich hatte kurz gesagt:

»Du wirst nicht zu Bouquet gehen. Ich habe etwas anderes gefunden.«

Trotzdem war ich meiner Sache gar nicht so sicher. Ich glaubte, daß es in jedem Fall, Wochen, wenn nicht Monate dauern würde. Ich glaubte daran, ohne daran zu glauben, ich wollte es, ohne zu wissen, wie ich es anstellen sollte, wenn ein solcher Plan auf Hindernisse stieß.

Und was inzwischen tun? Ich konnte nicht einmal für Martines Lebensunterhalt sorgen. Obwohl sie kaum noch Geld hatte, hätte sie es nicht angenommen.

Vierzig, fünfzig Kranke täglich, mein Richter. Nicht nur

bei mir, sondern in der Stadt, in den Vororten, einige auf dem Lande, so daß ich der schlechten Wege in der Vendée wegen immer Reithosen und Stiefel trug.

Und dann die Weihnachtsvorbereitungen, die Geschenke für die Kinder und für die Erwachsenen, der Baum und sein Schmuck, die gekauft werden mußten, die alte Krippe, die reparieren zu lassen ich noch nicht die Zeit gefunden hatte.

Ist es da erstaunlich, daß ich mich nicht mehr an den chronologischen Ablauf der Ereignisse erinnern kann? Aber ich erinnere mich deutlich, daß es zehn Uhr morgens war und sich in meinem Sprechzimmer eine Kranke mit einem schwarzen Wollschal befand, als ich mir eine Frist von wenigen Wochen, drei Wochen zum Beispiel, gesetzt habe, um Armande für meinen Plan zu gewinnen.

Am selben Tage hat mittags Babette an die Tür meines Sprechzimmers geklopft, was bedeutete, daß meine Bouillon bereitstand. Es war meine Gewohnheit, in Zeiten starken Andrangs meine Sprechstunde für ein paar Augenblicke zu unterbrechen, um eine Tasse heißer Bouillon in der Küche zu trinken. Eine Idee von Armande übrigens. Wenn ich darüber nachdenke, wird mir klar, daß Armande mein ganzes Tun und Lassen so selbstverständlich regelte, daß ich es gar nicht merkte.

Ich war wirklich erschöpft. Meine Hand zitterte ein wenig vor Nervosität, als ich die Tasse ergriff. Meine Frau war zufällig auch in der Küche, um einen Kuchen zu backen.

»So kann es nicht weitergehen«, habe ich gesagt, es mir zunutze machend, daß wir kein langes Gespräch beginnen konnten und daß sie kaum die Zeit hatte, darauf zu antworten. »Wenn ich wüßte, daß das junge Mädchen wirklich seriös ist, würde ich sie, glaube ich, als Helferin engagieren ...«

Aber dies alles, was ich Ihnen da eben berichtet habe, mein Richter, war für mich damals nicht das Wichtigste. Was mich am meisten erregte, kam von anderswoher. Ich war in der schweren, quälenden Zeit der Entdeckungen.

Ich kannte Martine nicht. Ich brannte darauf, sie kennenzulernen. Es war nicht Neugier, sondern ein gleichsam physisches Bedürfnis, und jede verlorene Stunde schmerzte mich. So vieles kann in einer Stunde geschehen! Trotz meiner geringen Phantasie malte ich mir alle möglichen Katastrophen aus.

Und die schlimmste von allen: daß sie von einem Augenblick zum andern eine andere würde.

Ich war mir des Wunders bewußt, das geschehen war, und es gab keinen Grund, daß das Wunder währte.

Wir mußten uns um jeden Preis sofort kennenlernen, wir mußten das zu Ende führen, was wir, ohne es zu wollen, in Nantes begonnen hatten.

Dann erst, sagte ich mir, würde ich glücklich sein. Dann erst könnte ich sie mit ruhigen und vertrauenden Augen anblicken, dann erst vielleicht könnte ich sie einige Stunden verlassen, ohne vor Unruhe zu stöhnen.

Ich hatte ihr tausend Fragen zu stellen, tausend Dinge zu sagen. Und ich konnte mit ihr immer nur kurz und dann in Anwesenheit meiner Mutter oder Armandes sprechen.

Wir hatten mit dem Ende begonnen. Es war dringend notwendig, unerläßlich, die Lücken zu füllen, das nachzuholen, was wir versäumt hatten.

Zum Beispiel nur stumm ihre Hand halten . . .

Wenn ich in jener Zeit je geschlafen habe, so habe ich das überhaupt nicht gemerkt, und ich bin sicher, ich habe nicht viel geschlafen. Ich lebte wie ein Somnambuler. Meine Augen glänzten und brannten. Meine Haut war überempffindlich, wie sie es bei völlig erschöpften Menschen ist. Ich sehe mich wieder, wie ich mitten in der Nacht, wütend bei dem Gedanken, daß sie wenige Meter von mir entfernt schlief, in meine Kissen biß.

Abends hustete sie mehrmals, ehe sie einschlief, was eine Art Gute-Nacht-Gruß an mich war. Ich hustete meinerseits. Ich möchte schwören, daß meine Mutter verstanden hat, was dieses Husten bedeutete.

Ich weiß nicht, was geschehen wäre, wenn sich alles länger

hingezogen, sich so abgespielt hätte, wie ich es voraussah. Man stellt sich gern vor, daß die Nerven wie zu straff gespannte Geigensaiten reißen könnten. Das ist natürlich lächerlich. Aber ich glaube, ich wäre fähig gewesen, eines schönen Tages bei Tisch oder im Salon, auf der Straße, irgendwo, ohne einen ersichtlichen Grund laut zu schreien. Anstatt die erwarteten Einwände zu erheben, hat Armande gesagt:

»Warte wenigstens bis nach Weihnachten, ehe du mit ihr darüber sprichst. Wir müssen das beide vorher noch gründlich besprechen . . .«

Sie wissen, daß wir in der Provinz nach wie vor unseren bedeutendsten Patienten unsere Liquidation nur am Jahresende schicken. Das ist der Alptraum der Ärzte. Es war auch der meine. Natürlich führen wir nicht immer genau Buch über unsere Besuche. Man muß die Agenda Seite für Seite durchsehen und eine ungefähre Summe ausrechnen, die den Patienten nicht erschrecken darf.

Bis dahin hatte sich Armande damit befaßt. Ich hatte sie nicht darum zu bitten brauchen, denn sie tat so etwas sehr gern, und außerdem hatte sie gleich nach unserer Verheiratung ganz selbstverständlich meine Geldangelegenheiten in die Hand genommen, so daß ich sie um Geld bitten mußte, wenn ich irgendeine größere Besorgung zu machen hatte.

Abends, wenn ich mich auszog, nahm sie die Geldscheine an sich, die ich aus meinen Taschen zog, das Honorar, das mir manche Patienten sofort bezahlten, und manchmal runzelte sie die Brauen und forderte Erklärungen von mir. Ich mußte mir genau überlegen, bei wem ich gewesen war, wer mir das Honorar bezahlt hatte und wer nicht.

Dennoch, in jenem Jahr beklagte sich Armande, daß sie mit Arbeit überhäuft sei, und ich habe, als sie sich gerade in die Abrechnungen vertiefte, gesagt:

»Sie könnte dir auch dabei helfen, sich nach und nach einarbeiten . . .«

Wer weiß, ob es nicht ein Charakterzug Armandes ist,

daß sie alles so schnell vorangetrieben hat, worüber ich als erster überrascht war. Sie hat immer gern die Leitung übernommen, sei es in einem Haus oder in sonst etwas. Wenn sie ihren ersten Mann wirklich geliebt hat, wenn sie, wie man es mir immer wieder versicherte, sich ihm gegenüber so großartig benommen hat, dann vielleicht nicht nur darum, weil er krank war, sondern weil er von ihr abhing, weil er nur sie hatte und sie ihn wie ein Kind behandeln konnte.

Sie hatte das Verlangen zu herrschen, und ich glaube nicht, aus armseliger Eitelkeit oder Stolz. Sie wollte wohl vielmehr sich damit in der Meinung, die sie sich von sich selbst machte und die sie für ihr inneres Gleichgewicht brauchte, bestärken.

Sie hatte mit ihrem Vater nicht zusammenleben können, weil er sich eben von ihr nicht kommandieren ließ, weil er sie weiter als kleines Mädchen behandelte und weiter so lebte, als ob sie gar nicht im Hause wäre. Ich frage mich, ob sie mit der Zeit nicht nervenkrank geworden wäre.

Seit zehn Jahren hatte sie vor allem mich unter ihrer Fuchtel, der ich nie versucht hatte, mich aufzulehnen und immer um des lieben Friedens willen nachgab, so daß ich sie sogar um Rat fragte, wenn es darum ging, eine Krawatte zu kaufen oder irgendein ärztliches Instrument, ja, daß ich ihr über alles, was ich tat, Rechenschaft ablegte. Dann war da meine Mutter, die auf ihre Art nachgegeben, die sich mit dem Platz begnügte, den ihr Armande zugewiesen hatte, aber dennoch ihre Persönlichkeit bewahrte, meine Mutter, die sich zwar fügte, weil sie sich nicht mehr als zu Hause betrachtete, die aber trotzdem sich von ihrer Schwiegertochter nicht beeinflussen ließ.

Meine Töchter, die natürlich leichter zu lenken waren. Das Mädchen. Ein Mädchen, das ›Charakter‹ hatte, blieb nicht lange bei uns. Auch nicht eins, das meine Frau nicht bewunderte. Schließlich waren da alle oder fast alle unsere Freundinnen, all die jungen Frauen unseres Kreises, die sie um Rat fragten. Das war so oft vorgekommen, daß Armande gar nicht mehr darauf wartete, daß man sie darum bat, sondern aus sich in allem riet. Und man hatte ihr so viele Male gesagt, sie irre sich nie, daß sie sich einen Widerspruch gar nicht mehr vorstellen konnte.

Darum war es, ohne daß ich es gewollt hatte, ein geradezu genialer Schachzug von mir gewesen, daß ich, als wir über die Jahresabrechnungen sprachen, ihr die Möglichkeit gab, Martine unter ihre Fuchtel zu bekommen. Sie konnte damit einen weiteren Menschen beherrschen.

»Das Mädchen wirkt recht intelligent«, hat sie gemurmelt. »Aber ich frage mich, ob sie die nötige Ausdauer besitzt . . .«

Und so, mein Richter, habe ich an dem Abend, da ich Martine zum erstenmal in ihrer neuen Wohnung bei Frau Debeurre aufsuchte, ihr zwei gute Nachrichten bringen können. Erstens, daß meine Frau sie einlud, den Weihnachtsabend bei uns zu verleben, was ich nie zu hoffen gewagt hätte, und zweitens, daß sie zu Jahresende, in weniger als zehn Tagen wahrscheinlich meine Sprechstundenhelferin werden würde.

Trotzdem hatte ich den ganzen Tag das Gefühl gehabt, mich in einer Leere zu bewegen. Martine war nicht mehr bei uns. Beim Mittagessen saß sie nicht am Tisch, und ich konnte kaum glauben, daß sie tags zuvor mir gegenüber, dort zwischen Armande und meiner Mutter, gesessen hatte.

Sie war allein in einem Hause, das ich nur von außen kannte. Sie entging meiner Kontrolle. Sie sah andere Menschen. Sie sprach gewiß mit ihnen und lächelte sie an.

Und es war mir unmöglich, zu ihr zu eilen. Ich mußte erst meine Kranken besuchen und dringender Fälle wegen zwischendurch zweimal nach Hause kommen.

Wenn ich meine Kranken besuchte, ließ ich, wie die meisten Ärzte, die Liste derer, die ich aufsuchte, zu Hause, damit man mich in einem dringenden Fall bei dem einen oder anderen anrufen konnte. So wußte man immer, wo ich war. Armande legte darauf besonderen Wert. Wenn ich, ehe ich fortfuhr, einmal vergaß, die Adressen jener aufzuschreiben, zu denen ich mich begab, merkte sie es sofort, und ich hatte noch nicht den Motor meines Wagens angelassen, da klopfte sie an die Scheibe, um mich daran zu erinnern.

Wie viele Male in meinem Leben bin ich so erinnert worden! Und ich konnte nichts sagen. Sie hatte recht.

Ich frage mich noch jetzt, ob sie das aus Eifersucht tat, und ich glaube es, ohne es zu glauben.

Wir haben uns nie geliebt. Sie wissen, was unserer Ehe vorausgegangen ist. Wenn sie überhaupt je geliebt hat, dann ihren ersten Mann.

Unsere Ehe war eine Vernunftehe. Sie liebte mein Haus. Sie schätzte den Lebensstil, den ich ihr ermöglichte. Ich hatte zwei Töchter, um die sich nur meine alte Mutter kümmerte, was ich nicht als wünschenswert erachtete.

Hat sie mich dann doch zu lieben begonnen? Die Frage hat mich in den letzten Monaten und vor allem in der letzten Zeit beunruhigt. Früher hätte ich sie ohne Zögern beantwortet. Ich war davon überzeugt, daß sie nur sich liebte, daß sie immer nur sich geliebt hatte.

Wenn sie eifersüchtig war, dann nur, weil sie den Einfluß fürchtete, den sie auf mich hatte, verstehen Sie? Sie hatte Angst, ich könnte den Faden zerreißen, an dem sie mich festhielt. All das und vieles andere habe ich gedacht, denn ich habe mich, schon ehe ich Martine kannte, manchmal innerlich aufgelehnt.

Jetzt, da ich auf der anderen Seite stehe und mir das alles so gleichgültig geworden ist, bin ich viel nachsichtiger und verständnisvoller.

Als sie vor Gericht erschien, hätte sie mich durch ihre Haltung, durch ihre Ruhe, durch ihr Selbstvertrauen aufbringen können. Man spürte — und sie wollte, daß man es spürte —, daß sie mir nicht grollte, daß sie bereit war, wenn ich freigesprochen würde, mich wieder aufzunehmen und wie einen Kranken zu pflegen.

Man kann das auch mit ihrem Herrschbedürfnis erklären, mit ihrem Bedürfnis, sich von sich, von ihrem Charakter eine immer höhere Vorstellung zu machen.

Nein. Ohne von Liebe zu sprechen, denn ich weiß jetzt, was dieses Wort bedeutet, ich bin davon überzeugt, daß sie mich so liebte, wie sie meine Töchter liebt.

Sie ist immer sehr gut zu meinen Töchtern gewesen. Alle in La Roche werden es Ihnen sagen, daß sie sich wie eine richtige Mutter verhalten hat und verhält. Sie ist so sehr ihre Mutter geworden, daß ich die Kinder deswegen, ohne es zu merken, mehr und mehr vernachlässigt habe.

Ich bitte sie um Verzeihung dafür. Ich bin ihr Vater. Wie soll ich es ihnen erklären, daß sie mich gerade als Vater in den Hintergrund gedrängt hat?

Armande hat mich geliebt, wie sie sie liebte, sanft, mit einer nachsichtigen Strenge. Verstehen Sie es jetzt? Ich bin nie ihr Mann gewesen und erst recht nicht ihr Geliebter. Ich war ein Mensch, für den sie die Verantwortung übernommen und auf den sie deshalb Rechte hatte.

Darunter auch das, mein Tun und Lassen zu kontrollieren. So, glaube ich, muß man ihre Eifersucht erklären.

Die meine, als ich Martine kennengelernt hatte, ist anderer Art gewesen. Und ich wünsche niemandem, daß er eine ähnliche durchmacht. Ich weiß nicht, warum jener Tag, mehr als alle anderen, in meinem Gedächtnis der Tag der Lichter und der Schatten geblieben ist. Ich hatte das Gefühl, meine Zeit zu verschwenden, wenn ich aus dem kalten Dunkel der Straße in die helle Wärme der Wohnungen kam. Von draußen sah ich erleuchtete Fenster. Ich tat ein paar Schritte durch das Dunkel, zog für einen Augenblick meinen feuchten Mantel aus, nahm vorübergehend am Leben eines fremden Haushalts teil und war mir dabei immer des Dunkels draußen bewußt...

Mein Gott, wie habe ich mich aufgeregt!

›Sie ist allein zu Hause. Die dicke Frau Debeurre wird sicher zu ihr hinaufgehen, um nach ihr zu sehen...‹

Ich klammerte mich an diesen beruhigenden Gedanken.

Frau Debeurre ist eine jener Frauen mittleren Alters, die viel Schweres durchgemacht haben. Ihr Mann war Steuerbeamter. Sie wohnte unweit des Bahnhofs in einem recht hübschen zweistöckigen Ziegelhaus, zu dessen messingbeschlagener, gewachster Eichentür drei Stufen hinaufführen. Sie hatte sich brennend Kinder gewünscht, und sie hatte mich deswegen konsultiert. Sie war bei allen meinen Kollegen gewesen, war nach Nantes und sogar nach Paris gefahren, hatte aber von jedem die gleiche negative Antwort erhalten.

Ihr Mann war am Bahnhof von La Roche, zweihundert Meter von ihrem Hause, von einem Zug überfahren worden, und seitdem vermietete sie aus Angst vor der Einsamkeit die Zimmer im ersten Stock.

Zehnmal hätte ich Martine zwischen zwei Besuchen fast aufgesucht. Ich bin auch an der Poker-Bar vorbeigekommen. Ich hatte weniger denn je einen Grund hineinzugehen, und dennoch hätte ich es beinahe getan.

Wir haben zu Mittag gegessen. Ich hatte noch einige Besuche in der Stadt zu machen.

»Ich werde vielleicht heute abend zu dem jungen Mädchen fahren, um zu sehen, ob sie nichts braucht. Morgen muß ich an Artari schreiben, um ihm von ihr zu berichten ...«

Ich befürchtete einen Widerspruch, einen Einwand. Aber Armande hat nichts gesagt, meine Mutter jedoch hat mich seltsam fragend angeblickt.

Die Allee ist breit. Sie führt an den alten Wällen entlang. Es ist das Kasernenviertel. Es gibt dort nur zwei oder drei Läden, die ihren viereckigen Lichtschein abends auf den Gehsteig werfen.

Ich war erregt. Mein Herz schlug wild. Ich habe das Haus gesehen. Im Erdgeschoß links und im ersten Stock brannte Licht. Ich habe geklingelt. Ich habe Frau Debeurre in Pantoffeln durch den Flur schlurfen hören.

»Ach, Sie sind's, Herr Doktor ... Das Fräulein ist eben nach Hause gekommen ...«

Ich bin die Treppe hinaufgelaufen. Ich habe geklopft. Eine freundliche Stimme hat »herein« gerufen, während ich auf den Lichtschein unter der Tür starrte.

Die Lampe hatte einen bläulichen Seidenschirm, und unter diesem Schirm schwebte Rauch.

Warum habe ich die Brauen gerunzelt? Warum habe ich ein Gefühl von Leere gehabt? Ich hatte wohl erwartet, daß Martine dort stehen und mir sofort um den Hals fallen würde. Aber sie lag ganz angezogen auf dem Bett, lächelte und hatte eine Zigarette im Munde.

Statt auf sie zuzustürzen und sie zu küssen, statt ihr heiter die guten Nachrichten zu verkünden, die ich für sie hatte, habe ich hart gefragt:

»Was soll das heißen?«

Noch nie in meinem Leben hatte ich in solchem Ton gesprochen. Ich bin nie ein gebieterischer Mensch gewesen. Ich habe immer Angst davor gehabt, jemanden zu verletzen. Meine Stimme überraschte mich selbst.

Lächelnd, wenn auch vielleicht schon ein wenig beunruhigt, antwortete sie:

»Ich habe mich, während ich auf dich wartete, ausgeruht . . .«

»Du wußtest doch gar nicht, daß ich kommen würde.«

»Doch . . .«

Was mich reizte, war, glaube ich, sie genauso wieder vorzufinden, wie ich sie in der amerikanischen Bar in Nantes gesehen hatte, mit ihrem ›Titelbild‹-Lächeln, das ich allmählich haßte.

»Bist du ausgegangen?«

»Ich mußte doch schließlich essen. Ich hatte nichts im Hause . . .«

Ich, der mit Armande, die ich nicht liebte, so geduldig war, hatte das Verlangen, zu Martine grausam zu sein. Es war so einfach, zu ihr zu gehen, sie zu küssen, sie an meine Brust zu drücken. Den ganzen Tag hatte ich daran gedacht. Hundertmal hatte ich im voraus diesen Augenblick erlebt, aber nun war alles ganz anders. Ich blieb stehen, ohne auch nur meinen Mantel auszuziehen, und von meinen Stiefeln tropfte das Wasser auf den Teppich.

»Wo hast du zu Mittag gegessen?«

»In einem kleinen Restaurant, der ›Grünen Eiche‹, das mir jemand empfohlen hat...«

Frau Debeurre bestimmt nicht...

Ich kannte die ›Grüne Eiche‹. Es ist kein Restaurant für Fremde, die es nur schwer hinten im Hof finden würden. Es verkehren dort vor allem Beamte, die Junggesellen sind, Stammgäste, ein paar Handelsreisende, die regelmäßig nach La Roche kommen.

»Ich wette, du hast einen Aperitif getrunken...«

Sie lächelte nicht mehr. Sie hatte sich auf den Bettrand gesetzt und blickte mich beunruhigt, schmollend wie ein kleines Mädchen an, das sich fragt, warum man es schilt. Im Grunde kannte sie mich noch nicht. Sie hatte keine Vorstellung von meinem Charakter, von dem, was unsere Liebe sein würde. Und dennoch, mein Richter, war sie zu dieser Liebe bereit, wie sie auch sein würde. Verstehen Sie, was das bedeutet? Ich habe es erst viel später verstanden. Ich war von meiner fixen Idee besessen wie ein Mann, der zuviel getrunken hat.

»Du bist in der Poker-Bar gewesen...«

Ich wußte es nicht, aber ich hatte solche Angst davor, daß ich es behauptete, als wüßte ich es.

»Ja, ich glaube, so heißt das Lokal... Ich konnte doch nicht den ganzen Tag hier eingesperrt bleiben... Es verlangte mich, Luft zu schöpfen... Ich bin ein wenig in der Stadt spazierengegangen...«

»Und du hast Durst gehabt...«

Bezog sich nicht alles, was ich von ihr wußte, auf Bars?

»Es hat dich verlangt, nicht wahr, wieder in deine schmutzige Atmosphäre zurückzukehren?«

Weil ich diese Atmosphäre plötzlich mehr als alles in der Welt haßte. Diese hohen Hocker, auf denen sie lässig die Beine übereinanderschlug! Und das Zigarettenetui, das sie aus der Handtasche zog, die Zigarette, die sie ebensowenig entbehren konnte wie den Cocktail, dessen Zubereitung sie beobachtete, und ihr Blick dann, der die Männer einen nach dem anderen musterte, weil es sie nach einer Huldigung gelüstete...

Ich habe sie an beiden Handgelenken gepackt, ohne mir dessen bewußt zu sein, und habe sie mit einem Ruck hochgezogen.

»Gesteh, daß dir das bereits fehlte... Gesteh, daß du Bouquet treffen wolltest... Los, gesteh...«

Ich preßte ihre Handgelenke so fest, daß es ihr weh tat. Ich wußte nicht mehr, ob ich sie liebte oder haßte.

»Gesteh!... Ich bin überzeugt, ich habe recht... Du mußtest wieder mit ihm schön tun.«

Sie hätte es leugnen können. Ich erwartete das von ihr. Ich glaube, ich hätte mich damit zufrieden gegeben. Aber sie hat den Kopf gesenkt und gestammelt:

»Vielleicht...«

»Verlangte es dich, mit ihm schön zu tun?«

Ich schüttelte ihre Handgelenke, ich sah, daß ich ihr weh tat, daß sie Angst hatte, daß sie ein paarmal unwillkürlich zur Tür blickte.

Ich glaube, schon an jenem Tage, schon in jenem Augenblick hätte ich sie fast geschlagen. Dennoch war ich gerührt. Ich hatte Mitleid, denn sie war leichenblaß. Ihre Zigarette war auf den Teppich gefallen und sie versuchte, aus Furcht vor einem Brand, sie mit dem Fuß auszutreten. Ich habe das bemerkt, und es hat meine Wut noch gesteigert, daß sie sich gerade jetzt für eine solche Lappalie interessieren konnte.

»Du brauchtest einen Mann, wie?«

Sie schüttelte traurig den Kopf.

»Gesteh...«

»Nein...«

»Es verlangte dich zu trinken...«

»Vielleicht...«

»Es verlangt dich immer, daß die Männer sich mit dir befassen, und du wärest fähig, einen Polizisten auf der Stra-

ße anzuhalten und ihm irgend etwas zu erzählen, damit er
dir den Hof mache.«
»Du tust mir weh...«
»Du bist nichts weiter als eine Hure...«
Als ich das sagte, habe ich sie noch stärker geschüttelt und
sie auf den Boden geworfen. Sie hat keinen Laut von sich
gegeben. Sie ist liegengeblieben und hat sich einen Arm
vors Gesicht gehalten, aus Angst vor den Schlägen, die sie
erwartete.
»Steh auf...«
Sie gehorchte und erhob sich langsam, wobei sie mich ver-
ängstigt anstarrte, aber es war weder Haß noch Groll in
ihrem Blick. Ich war roh gewesen, aber sie nahm es hin.
Ich hatte sie beleidigt, aber sie wehrte sich nicht.
Sie hat gemurmelt:
»Sei doch nicht so böse...«
Da bin ich plötzlich wieder ruhig geworden und habe ge-
sagt:
»Komm her.«
Sie hat einen Augenblick lang gezögert. Dann ist sie näher
gekommen, immer noch ihr Gesicht mit dem Arm verdek-
kend. Sie war davon überzeugt, daß ich sie schlagen würde.
Aber sie kam, mein Richter. Sie kam!
Und wir kannten uns erst seit drei Tagen!
Ich wollte sie nicht schlagen. Im Gegenteil. Sie sollte von
selber kommen. Als sie ganz dicht vor mir stand, habe ich
ihren Arm heruntergezogen und sie an meine Brust ge-
drückt, wobei mir Tränen in die Augen kamen.
Ich habe ihr ins Ohr geflüstert:
»Verzeih...«
Wir standen beide umschlungen in der Nähe des Bettes.
»Hast du ihn gesehen?«
»Wen?«
»Du weißt genau...«
»Nein... Er war nicht da.«
»Und wenn er da gewesen wäre...?«
»Dann hätte ich ihm gesagt, daß ich nicht zu ihm käme...«

»Aber du wärst bereit gewesen, mit ihm zu trinken...«
»Vielleicht.«
Sie sprach so leise wie im Beichtstuhl. Ich sah ihre Augen nicht, die gewiß über meine Schulter hinwegblickten.
»Mit wem hast du gesprochen?«
»Mit niemandem.«
»Du lügst... Jemand hat dir die ›Grüne Eiche‹ empfohlen...«
»Ja. Aber ich weiß seinen Namen nicht...«
»Hat er dir zu trinken spendiert?«
»Ich glaube... Ja...«
Und ich war plötzlich traurig, mein Richter. Ich hatte das Gefühl, ein krankes Kind in meinen Armen zu wiegen. Sie log und war lasterhaft.
Sie war dennoch zu mir gekommen, obwohl sie glaubte, daß ich sie schlagen würde. Auch sie flüsterte:
»Verzeih...«
Und dann sagte sie diese Worte, die ich nie vergessen werde:
»Ich werde es nie wieder tun.«
Auch sie hätte am liebsten geweint, aber sie weinte nicht. Sie stand reglos da, aus Angst, dessen bin ich sicher, meine Wut von neuem zu entfesseln, und ich zog sie sanft zu dem Bett, auf dem sie eben noch gelegen hatte.
Mit einem gewissen Erstaunen murmelte sie:
»Du willst...?«
Ja, ich wollte. Aber nicht wie in Nantes. Ich wollte, daß unsere Körper sich vereinten, und mit vor Erregung gepreßter Kehle und im vollen Bewußtsein dessen, was ich tat, habe ich langsam von ihr Besitz genommen.
Ich habe sofort gemerkt, was sie beunruhigte. Sie fürchtete, mir zu mißfallen. Meine sanfte, von aller Wollust freie Zärtlichkeit verwirrte sie.
Nach einem langen Augenblick flüsterte sie:
»Soll ich...?«
Ich begehrte heute etwas anderes. Das andere wollte ich nicht mehr. Das hatten die anderen gehabt. Das war die frühere Martine, die der Cocktails, Zigaretten und Bars.

Es war mir gleichgültig, ob sie an diesem Abend Lust empfand. Auch meine Lust war mir gleichgültig. Ich suchte nicht die Lust. Was ich wollte, war, langsam, im vollen Bewußtsein meines Tuns, ich wiederhole es, sie mit meinem Wesen zu durchdringen, und meine Erregung war die eines Menschen, der die feierlichste Stunde seines Daseins erlebt.

Ein für allemal nahm ich die Verantwortung auf mich, nicht nur für mich, sondern auch für sie. Ich nahm ihr Leben auf mich mit seiner Gegenwart und Vergangenheit, und darum, mein Richter, umarmte ich sie fast traurig.

Sie ist ruhig und ernst geblieben. Als sie gespürt hat, daß ich mit ihr eins geworden war, hat sie den Kopf auf dem Kissen leicht abgewandt, zweifellos, um ihre Tränen vor mir zu verbergen. Ihre Hand hat die meine gesucht, hat meine Finger mit der gleichen Langsamkeit und Zärtlichkeit gedrückt, mit der ich sie eben umarmt hatte.

Lange haben wir stumm so dagelegen, und dann hörten wir, daß Frau Debeurre unten hin und her ging und absichtlich laut war, weil unser langes Beisammensein sie gewiß empörte.

Ihr allzu durchsichtiges Verhalten hat uns schließlich amüsiert, denn die gute Frau horchte hin und wieder unten an der Treppe, als machte sie sich Gedanken, weil sie unsere Stimmen nicht mehr hörte. War es darum, weil sie gehört hatte, wie Martine auf den Fußboden fiel?

Ich habe mich sanft losgemacht.

»Ach, ich hätte fast vergessen, es dir zu sagen... Du bist zum Weihnachtsabend zu uns eingeladen... Und noch etwas: nach den Feiertagen, bestimmt vom 2. Januar an, wirst du bei mir als Sprechstundenhelferin arbeiten.«

Das alles war schon gar nicht mehr wichtig.

»Ich muß jetzt gehen...«

Sie hat sich erhoben. Sie hat ihr Haar glatt gestrichen, ehe sie auf mich zukam, mir ihre beiden Arme auf die Schultern legte und mir die Lippen zum Kuß reichte.

»Gute Nacht, Charles...«

»Gute Nacht, Martine…«

Sie hatte an diesem Abend eine ernste Stimme, eine Stimme, die mich tief bewegte, und um sie noch einmal zu hören, habe ich wiederholt:

»Gute Nacht, Martine…«

»Gute Nacht, Charles…«

Mein Blick ist durch das Zimmer geschweift, in dem ich sie zurückließ. Ich habe gemurmelt:

»Morgen…«

Sie hat mich nicht gefragt, wann, und das bedeutete, daß sie den ganzen Tag für mich warten würde, daß sie in Zukunft immer auf mich warten würde.

Ich mußte mich schnell davonmachen, denn ich war zu bewegt, und ich wollte mich nicht rühren lassen. Es verlangte mich, allein zu sein, wieder in das kühle Dunkel der Straße hinauszukommen. Sie hat mir die Tür geöffnet. Ich war schon einige Stufen hinuntergegangen, als sie noch einmal mit der gleichen Stimme wie vorher, wie eine Beschwörungsformel — und es ist tatsächlich von diesem Abend an eine Art Beschwörungsformel geworden — gesagt hat:

»Gute Nacht, Charles…«

Es war uns gleich, ob Frau Debeurre hinter ihrer halbgeöffneten Tür lauschte.

»Gute Nacht, Martine…«

»Ich werde nicht mehr fortgehen, du weißt es…«

Ich eilte hinaus. Und kaum saß ich am Steuer meines Autos, da weinte ich heiße Tränen, und ich sah dann im Fahren das Licht der Gaslaternen und die Scheinwerfer einiger Wagen, die mir entgegenkamen, so verschwommen, daß ich eine ganze Weile am Rande eines Gehsteigs habe halten müssen.

Ein Polizist ist herangekommen, hat sich gebückt und hat mich erkannt.

»Eine Panne, Herr Doktor?«

Ich wollte ihm nicht mein Gesicht zeigen. Ich habe mein Notizbuch aus der Tasche gezogen und darin geblättert.

»Nein… Ich sehe nur eine Adresse nach…«

ACHTES KAPITEL

Wir haben Weihnachten im Familienkreis verbracht, Armande, meine Mutter, meine Töchter, Martine, mein Freund Frachon und ich. Frachon ist ein kahlköpfiger Junggeselle, der keine Angehörigen in La Roche hat — er ißt übrigens immer in der ›Grünen Eiche‹ — und den wir seit Jahren am Weihnachtsabend zum Essen zu uns einladen. Armande hat ein Schmuckstück bekommen, einen Platinclip, den sie sich schon seit einiger Zeit wünschte. Sie trägt selten Schmuck, aber sie besitzt gern welchen, und ich glaube, das erstemal, daß ich sie ihre sonstige Kühle verlieren und in Schluchzen ausbrechen sah, war an dem Tage, als ich ihr, um ihr ein kleines Geschenk zu machen, eine Zuchtperlenkette gekauft hatte. Ich behaupte nicht, daß sie geizig ist. Wäre sie es, stünde es mir nicht zu, mich darüber zu beklagen oder ihr deswegen zu grollen, denn jeder Mensch hat nun einmal seine Schwächen. Sie besitzt gern schöne Dinge, wertvolle Sachen, auch wenn sie sie nie aus den Schubfächern herausnimmt.

Ich hatte für Martine nichts Kostspieliges gekauft, aus Furcht, daß das Argwohn wecken könnte. Ich bin in meiner Vorsicht sogar so weit gegangen, meine Frau zu bitten, für sie zwei oder drei Paar Seidenstrümpfe zu besorgen.

Man hat vor dem Schwurgericht von diesem so friedlichen Weihnachten gesprochen. Ich weiß nicht mehr, ob Sie dabei anwesend waren. Der Staatsanwalt hat meinen Zynismus gebrandmarkt, indem er mich beschuldigte, meine Konkubine auf heuchlerische, hinterhältige Weise in mein Haus aufgenommen zu haben.

Ich habe nicht protestiert. Ich habe nie protestiert, und dennoch habe ich viele Male das deutliche Gefühl gehabt, daß diese Leute — eingeschlossen meine eigenen Anwälte — nicht ehrlich sein konnten. Es gibt Grenzen für die Dummheit oder die Biederkeit. Unter Ärzten sprechen wir von der Krankheit und der Heilung nicht, wie wir darüber mit unseren Patienten sprechen. Und wenn es sich um die Ehre handelt, um die Freiheit des Menschen — ich selber pfiff auf sie, weil ich mich schuldig bekannte, manchmal gegen sie — wenn es sich um die Ehre eines Menschen handelt, sage ich, berauscht man sich nicht an moralischen Phrasen.

Mein Verbrechen? Schon nach der ersten Stunde der Verhandlung war mir klar, daß es in den Hintergrund verbannt war und bleiben würde, daß man so wenig wie möglich davon sprechen wollte. Mein Verbrechen war peinlich und schockierend, und es gehörte nicht zu jener Kategorie von Dingen, die einem, ehe man sich's versieht, passieren können. Diese Einstellung war so spürbar, daß es mich nicht gewundert hätte, wenn einer der Herren erklärt hätte: »Es ist ihr nur recht geschehen!«

Aber meine ›Konkubine‹ in unserem Hause, aber dieses so friedliche, so feierliche, so glückliche Weihnachten... Ja, mein Richter, so glückliche. Denn wir waren alle vollkommen glücklich. Armande, die noch nichts ahnte, hat den ganzen Abend Frachon gehänselt, der ihr ständiger Prügelknabe ist und den das nur entzückt. Ich habe mit meinen Töchtern gespielt und geschwatzt, während Mama Martine von unserem Leben in Ormois erzählte — und das ist für sie ein unerschöpfliches Gesprächsthema.

Um Mitternacht haben wir uns alle geküßt, und vorher war ich heimlich in das Eßzimmer gegangen, um die Kerzen am Weihnachtsbaum anzuzünden und den eiskalten Champagner auf den Tisch zu setzen. Ich habe Martine als letzte geküßt. In dieser Nacht darf man alle küssen, und ich habe es keusch getan, ich schwöre es Ihnen. Warum, sagen Sie mir, ist meine Frau, als es Zeit wurde, schlafen zu gehen, nicht hinaufgegangen, während ich Martine nach Hause brachte, anstatt sie von Frachon dorthin fahren zu lassen?

Schelten Sie mich nicht, mein Richter. Ich bin noch nicht fertig, und das ist eine Frage, der ich schon seit langem nachspüre. Ich habe gefragt, warum. Und ich will Ihnen jetzt den Sinn meiner Frage erklären. Seit Monaten, man könnte sagen, seit Jahren hatten Armande und ich keine sexuellen Beziehungen mehr. Und wenn es in den letzten neun Jahren hin und wieder vorgekommen war, dann fast zufällig, so daß sie hinterher verlegen war.

Wir haben nie darüber gesprochen, ich meine, sie und ich. Dennoch wußten wir vom Anfang unserer Ehe an, daß uns sinnlich gegenseitig nichts anzog.

Sie hat sich mit dieser Halbkeuschheit abgefunden. Ich habe hin und wieder banale Abenteuer erlebt, habe ihr aber nichts davon gesagt, denn das lohnte nicht. Ich wollte es auch darum nicht, weil ich in der Achtung vor dem, was existiert, vor dem, was ist, erzogen worden war: etwas achten, nicht weil es achtenswert ist, sondern weil es ist.

Im Namen dieses Prinzips sprachen im Grunde auch diese Herren vom Gericht.

Aber mein Haus *war*, meine Familie *war*, und um beides zu bewahren, habe ich mich jahrelang gezwungen, mehr wie ein Automat als ein Mensch zu leben, so daß ich manchmal ein fast unwiderstehliches Verlangen hatte, mich auf die erste beste Bank zu setzen und mich nicht mehr von ihr wegzurühren.

Im Zeugenstand hat Armande gesagt, und da waren Sie anwesend, ich habe Sie in der Menge bemerkt:

»Ich habe ihm zehn Jahre meines Lebens geopfert und wenn er morgen freigelassen wird, bin ich bereit, ihm auch den Rest meines Lebens zu opfern...«

Nein, mein Richter, nein! Man soll aufrichtig sein. Man soll nachdenken, ehe man solche Phrasen ausspricht, bei denen den Zuhörern ein leiser Schauer der Bewunderung über den Rücken läuft.

Ich möchte betonen, ich bin heute davon überzeugt, daß Armande nicht so gesprochen hat, um Eindruck auf die Richter, auf das Publikum oder die Presse zu machen. Ich habe lange Zeit dazu gebraucht, um daran zu glauben, aber ich bin jetzt bereit, mich für ihre Aufrichtigkeit zu verbürgen.

Und das ist eben das Schrecklichste: daß es jahrelang zwischen Menschen, die zusammenleben, so unheilbare Mißverständnisse geben kann. Inwiefern, sagen Sie, inwiefern hat sie mir zehn Jahre ihres Lebens geopfert? Wo sind die zehn Jahre? Was habe ich mit ihnen gemacht? Wo habe ich sie hingesteckt? Verzeihen Sie mir diesen bitteren Scherz! Sie hat diese zehn Jahre gelebt, Sie werden nicht das Gegenteil behaupten. Sie ist zu mir gekommen, um sie zu leben, und sie eben auf diese Art zu leben. Ich habe sie nicht dazu gezwungen. Ich habe sie nicht über das Los getäuscht, das sie erwartete.

Es ist nicht meine Schuld, wenn die Sitten oder die Gesetze es wollen, daß, wenn ein Mann und eine Frau heiraten, und wären beide erst achtzehn Jahre alt, sie sich feierlich verpflichten, bis zum Tode zusammenzubleiben.

In diesen zehn Jahren hat sie nicht nur ihr eigenes Leben gelebt, sondern hat es uns allen aufgezwungen. Wäre es anders gewesen, hätte ich ihr antworten können:

»Wenn du mir zehn Jahre *deines* Lebens geopfert hast, dann habe ich dir zehn Jahre *meines* Lebens geopfert. Wir sind quitt.«

Hat sie in diesen Jahren nicht immer getan, was sie gewollt hat? Hat sie sich nicht meiner Töchter angenommen? Hat sie mich nicht während einer kurzen Krankheit gepflegt? Hat sie nicht auf manche Reisen verzichtet, die sie gern gemacht hätte?

Ich habe das gleiche getan, und weil sie mich körperlich nicht reizte, habe ich sozusagen auf das Liebesleben verzichtet. Ich wartete manchmal Wochen, ehe ich mich mit Gott weiß wem, unter Umständen, deren ich mich heute schäme, flüchtig einließ.

Ich habe manchmal die Leute beneidet, die irgendeine Passion haben, Billard- oder Kartenspiel zum Beispiel, Boxkämpfe oder Fußball. Diese Leute wissen wenigstens, daß sie einer Art Bruderschaft angehören, und dank ihr, so lächerlich das scheinen mag, fühlen sie sich im Leben nie ganz isoliert oder einsam.

Sie hat gesagt:

»Als er diese Person in mein Haus brachte, wußte ich nicht, daß ...«

Ihr Haus. Sie haben es wie ich gehört. Sie hat nicht gesagt: unser Haus, sie hat gesagt: mein Haus.

Mein Haus, mein Mädchen, mein Mann ...

Das ist die Lösung des Rätsels, mein Richter, denn an ein Rätsel muß man ja wohl glauben, da niemand es verstanden hat oder verstanden zu haben scheint. Sie ging nicht so weit, von ihren Kranken zu sprechen, aber sie sagte: unsere Kranken, und wenn sie mich nach ihnen fragte, nach der Behandlungsmethode, riet sie mir — oft sehr vernünftig übrigens —, zu welchem Chirurgen ich sie zu einem Eingriff schicken sollte.

Ich habe eben von der Zugehörigkeit zu einer Bruderschaft gesprochen. Es gibt eine, eine einzige, der ich notgedrungen angehörte: die Ärzteschaft. Aber weil alle Ärzte, mit denen wir verkehrten, unsere Freunde waren, daß heißt Armandes mehr als die meinen, habe ich nie dieses Solidaritätsgefühl gehabt, das mich manchmal gestärkt hätte.

Sie hat geglaubt, es gut zu machen, ich weiß es. So wie ich sie jetzt kenne, wäre es für sie wohl ein großer Schmerz, wenn sie sich bewußt würde, daß sie nicht immer richtig gehandelt hat.

Sie ist davon überzeugt, wie die Richter, wie alle, die meinem Prozeß beigewohnt haben, daß ich ein Feigling bin, daß ich aus Feigheit jenes Weihnachten so gefeiert habe, an das sie nur mit Schmerz zurückdenken kann, daß ich aus Feigheit Listen benutzt habe, um zu erreichen, daß Martine in mein Haus kam.

In mein Haus, hören Sie? Ich betone das, weil ich glaube, daß es schließlich auch mein Haus war.

Und ich habe wirklich Listen benutzt. Aber es wäre unrecht, sie mir vorzuwerfen, denn mir sind sie am peinlichsten gewesen, mich haben sie am meisten gedemütigt.

Nicht nur mich, sondern auch Martine, Martine noch mehr.

Man hat sie als Abenteurerin hingestellt, was sehr praktisch ist. Man hat das Wort nicht auszusprechen gewagt, weil ich dann trotz meiner beiden Wächter über meine Bank gesprungen wäre. Dennoch schien es für alle sonnenklar, daß sie sich aus Gewinnsucht in unsere Ehe eingedrängt hatte.

Ein Mädchen, mein Richter, das zwar aus guter Familie kam, aber eine Gestrauchelte, die vier Jahre lang mal hier, mal dort gearbeitet und mit Männern geschlafen hatte.

Ich sage nicht, daß sie Geliebte gehabt hatte. Vor mir hat sie keinen gehabt. Ich sage: mit Männern geschlafen, wie ich mit Frauen geschlafen hatte.

Aber darum handelt es sich jetzt nicht, und außerdem geht das mich alleine an.

Sie kam Gott weiß woher. Sie landete in unserer anständigen Stadt in ihrem zu dünnen Jackenkleid, mit ihrem blassen Teint und ihren beiden Koffern, und schon drang sie ohne Scham in ein gut geheiztes, gut beleuchtetes Haus ein, setzte sich an einen reich gedeckten Tisch und wurde von einem Tag zum anderen die Sprechstundenhelferin eines Arztes und fast die Freundin seiner Frau, die sich sogar die Mühe machte, ein Weihnachtsgeschenk für sie zu kaufen.

Es ist ein erschreckender Gedanke, daß wir, obwohl wir alle Menschen sind, uns weigern, eine kleine Anstrengung zu machen, um einander zu verstehen.

Aber, mein Richter, so gewissermaßen durch die Hintertür in unser Haus zu kommen, mit Hilfe eines Gespinstes von Lügen, zu denen ich sie zwang, das war für sie nicht nur die schlimmste Demütigung, sondern sie opferte damit alles, was sie noch als ihre Persönlichkeit ansehen konnte.

Wenn sie zum Beispiel bei Raoul Bouquet gearbeitet hätte, wäre sie wahrscheinlich sein Verhältnis geworden. Die ganze Stadt hätte es gewußt, denn dem Warenhausbesitzer verschließt der Takt nicht den Mund. Sie hätte bald zu der kleinen Clique in der Poker-Bar gehört. Sie hätte dort Freunde und Freundinnen gehabt, die wie sie lebten, wie sie rauchten und tranken, die ihr halfen, das Leben, das sie führte, als natürlich zu betrachten.

Bei mir war sie nichts. Drei Wochen lang hat sie in der Furcht vor einem argwöhnischen Blick Armandes gelebt, und diese Furcht ist schließlich so stark geworden, daß sie nervenkrank wurde und ich sie behandeln mußte.

Selbst auf beruflichem Gebiet verzichtete sie darauf, jene Befriedigung zu finden, die dem bescheidensten Arbeiter vergönnt ist. Sie war, bevor sie mich kennenlernte, eine ausgezeichnete Sekretärin. Dagegen war ihr der medizinische Beruf völlig fremd. Ich hatte nicht die Zeit, sie einzuarbeiten. Nicht der Arbeit wegen wollte ich sie um mich haben.

Tagelang sah ich sie in einer Ecke meines Arbeitszimmers über alte Akten gebeugt, die sie ordnen sollte.

Wenn Armande mit ihr sprach, bat sie sie, jetzt, da Martine in unseren Diensten stand, die Schneiderin oder einen Lieferanten anzurufen.

Wir verbargen uns. Und wir haben oft gelogen.

Aus Barmherzigkeit, mein Richter!

Weil ich damals noch naiv war, weil ich mit vierzig Jahren nichts von der Liebe wußte und glaubte, ich könnte endlich glücklich sein, ohne den anderen etwas zu nehmen. Es schien mir, daß es mit ein wenig gutem Willen leicht sein würde, die Dinge zu regeln. Wir taten das unsere, Martine und ich, weil wir uns versteckten und logen. Wäre es nicht recht und billig gewesen, daß andere sich auch bemühten?

War es meine Schuld, daß ich eine Frau, die ich vor vierzehn Tagen noch nicht gekannt und die ich gar nicht kennenzulernen versucht hatte, so nötig brauchte wie die Luft zum Atmen.

Wenn plötzlich eine Krankheit mein Leben in Gefahr gebracht hätte, hätte man für mich die größten Spezialisten bemüht, hätte man die Ordnung und die Gewohnheiten des Hauses umgestoßen, hätte jeder sein Bestes getan, hätte man mich in die Schweiz oder anderswohin geschickt, hätte man das Pflichtgefühl — oder das Mitleid — so weit getrieben, daß man mich in einem kleinen Wagen spazieren gefahren hätte.

Es ist mir etwas anderes, aber ebenso Ernstes zugestoßen. Mein Leben stand dabei ebenso auf dem Spiel. Ich übertreibe nicht, mein Richter. Wochenlang habe ich meine Nächte ohne sie verbracht, wochenlang ging sie zu den Mahlzeiten nach Hause. Ich mußte außerdem meine Kranken besuchen.

Wochenlang, zehnmal am Tage und in der Nacht, habe ich diese qualvolle Leere gespürt, von der ich Ihnen schon berichtet habe. Ich mußte dann ganz reglos liegen, eine Hand auf der Brust, mit angstvollen Augen wie ein Herzkranker. Und glauben Sie, daß ich das Tag für Tag, von morgens bis abends und von abends bis morgens ohne Hoffnung hätte ertragen können?

Und mit welchem Recht eigentlich verlangte man es von mir?

Führen Sie nicht meine Töchter an. Das ist ein zu einfaches Argument. Kinder sind von so etwas unberührt. Ich habe in meiner Praxis genug unglückliche Ehen gesehen, um zu wissen, daß Kinder darunter keineswegs leiden. Das liest man nur in Kitschromanen.

Meine Mutter? Nun, gestehen wir doch ganz ungeschminkt — denn die Mütter sind nicht immer Heilige —, sie jubilierte bei dem Gedanken, daß endlich jemand da war, der, auch wenn er sich verbarg, das Joch ihrer Schwiegertochter abschüttelte.

Bleiben noch Armande und ihre zehn Jahre. Ich weiß. Nun, stellen wir die Frage anders. Ich liebte eine andere. Das ist eine Tatsache. Es war zur Umkehr zu spät. Ich konnte mir diese Liebe nicht mehr aus dem Herzen reißen.

Und selbst wenn ich Armande einmal geliebt hätte, ich liebte sie nicht mehr.

Auch das ist eine Tatsache.

Ich hatte ihr also einen Schmerz zugefügt. Denn es ist ein

Schmerz für den, der liebt, wenn er merkt, daß er nicht mehr geliebt wird, und dann erfährt, daß der, den er liebt, einen anderen liebt.

Sie sehen, ich bin sogar bereit, zu vermuten, daß Armande mich wirklich geliebt hatte und noch liebte.

Und da wird mir ihre Haltung unheimlich: »Du liebst mich nicht mehr. Du liebst eine andere. Du brauchst ihre Gegenwart. Aber weil ich dich noch liebe, fordere ich, daß du auf sie verzichtest und bei mir bleibst.«

Bei einem Menschen bleiben, den man nicht mehr liebt und der einem den furchtbarsten Schmerz zufügt, verstehen Sie das?

Können Sie es sich vorstellen, wie die beiden abends allein unter der Lampe sitzen, und gar den Augenblick, da sie sich in das gleiche Bett legen und sich gute Nacht wünschen?

Aber ich glaube nicht daran. Eine Frau, die liebt, sagt nicht: »... in meinem Hause ... unter meinem Dach ...«

Eine Frau, die wirklich liebt, spricht nicht von zehn Jahren, die sie geopfert hat.

Sie hat vielleicht geglaubt, mich zu lieben, aber ich kenne mich jetzt darin aus, mein Richter.

Hätte sie sonst zu mir sagen können:

»Wenn du dich wenigstens begnügt hättest, sie außerhalb des Hauses zu sehen ...«

Hätte sie da noch von Demütigung gesprochen?

Ich schwöre Ihnen, mein Richter, ich denke über das Problem ehrlich nach und, so seltsam das scheinen mag, vor allem seit ich hier bin, ganz objektiv, weil jetzt andere, wichtigere Fragen ihre Antwort erhalten haben, weil ich all diesen kleinen Menschen sehr fern bin, die sich sträuben oder gestikulieren.

Nicht wahr, meine Martine, wir haben beide einen langen Weg zurückgelegt, wir haben, fast immer aneinandergeschmiegt, den längsten Weg zurückgelegt, den, an dessen Ende man endlich erlöst ist? Gott allein weiß, daß wir diesen Weg, ohne es zu wissen, in aller Unschuld eingeschlagen haben, ja, mein Richter, wie Kinder, denn wir waren noch Kinder.

Wir wußten nicht, wohin wir gingen, aber wir konnten nicht anderswohin gehen, und ich erinnere mich, Martine, daß an manchen Tagen, wenn wir uns am glücklichsten fühlten, du mich manchmal mit entsetzten Augen ansahst.

Du sahst nicht klarer als ich, aber das Leben hatte dich hart geschlagen. Die Jugend und ihre kindlichen Alpträume waren dir noch näher, und diese Alpträume verfolgten dich noch bis in meine Arme.

Oft hast du nachts geschrien, dich an meine Schultern klammernd, als ob sie allein dich daran hindern könnten, in die Leere zu gleiten, und ich erinnere mich an deine Stimme, wenn du manchmal in deiner höchsten Seelennot riefest:

»Wecke mich, Charles, wecke mich schnell! . . .«

Vergib mir, Martine, daß ich mich so viel mit den anderen befasse, aber gerade um deinetwillen zwinge ich mich dazu. Manchmal hast du traurig gemurmelt:

»Niemand wird je etwas davon wissen . . .«

Und ihretwegen, mein Richter, damit jemand es weiß, damit ein Mensch es weiß, schreibe ich Ihnen dies alles.

Geben Sie jetzt zu, daß ich nicht lüge oder auch nur im geringsten die Wahrheit zu entstellen versuche.

Wo ich bin, wo wir sind, Martine und ich, mein Richter, denn wir sind beieinander, lügt man nicht mehr. Und wenn Sie nicht allen meinen Gedanken folgen können und manches Sie schockiert, sagen Sie nicht, ich sei verrückt, denken Sie nur, ich hätte eine Mauer überstiegen, die Sie vielleicht eines Tages auch übersteigen werden und hinter der man die Dinge anders sieht.

Während ich dies schreibe, denke ich an Ihre Telefonanrufe, an den beklommenen Blick, den Sie mir manchmal verstohlen zuwarfen, in Erwartung meiner Antwort auf Ihre Fragen. Ich denke vor allem an andere Fragen, die Sie mir so brennend gern gestellt hätten, die Sie aber nie gestellt haben.

Ich habe in Ihrem Arbeitszimmer wenig von Martine ge-
sprochen. Weil es Dinge gibt, die man nicht vor einem
Herrn Gabriel oder einem armen, anständigen Mann wie
Ihrem Schreiber erörtert.
Ich habe von dem allem während des Prozesses nicht gesprochen, und das ist verschieden gedeutet worden. Ich
konnte doch nicht sagen:
»Aber verstehen Sie doch, daß ich sie erlöst habe...«
Ich konnte nicht die noch wahreren Worte herausschreien,
die mir in die Kehle stiegen:
»Nicht sie habe ich getötet, sondern die andere...«
Ganz abgesehen davon, daß ich damit ihr Spiel gespielt
hätte, ihnen das gegeben hätte, was sie zu erlangen trach-
teten, mehr um ihres inneren Friedens als um ihres Gewissen willen, um der Ehre der bürgerlichen Welt willen, der
wir alle angehören. Sofort hätten meine Kollegen mit beiden Händen das Attest unterschrieben, das meinen Wahn-
sinn bestätigte, den sie noch heute nachzuweisen sich bemühen, eine Feststellung, die so vieles klären würde!
Wir wußten nicht, Martine und ich, wohin wir gingen,
und wochenlang haben wir aus Mitleid, um niemandem
Kummer zu machen, und auch weil wir noch nicht die ver-
schlingende Gewalt unserer Liebe und ihre Forderungen
kannten, zwei Leben gelebt, genauer gesagt, ein Doppelle-
ben geführt.
Ich sah sie morgens um acht Uhr in der grauen Januar-
kälte kommen. Ich frühstückte dann gerade in der Küche,
während Armande noch oben in der Wohnung war.
Martine ging es damals gesundheitlich nicht gut. Sie bezahlte, sie bezahlte für vieles. Sie bezahlte ohne Klagen,
ohne an die Ungerechtigkeit zu glauben. Wenn sie durch
das Tor kam und der Kies unter ihren Füßen knirschte,
spähte sie nach dem Fenster aus, hinter dem ich mich befand, und sie lächelte leise, ohne mich zu sehen, denn man
hätte sie von oben beobachten können. Sie lächelte vage
einem Vorhang zu.
Sie kam nicht durch die Haustür herein, sondern durch

das Wartezimmer. Das hatte Armande so bestimmt. Ich weiß den Grund nicht und will ihn auch gar nicht wissen. Ich habe nie protestiert. Sie sollte wie eine Angestellte wirken, denn als Angestellte war sie ja im Hause. Ich grolle deswegen niemandem, ich versichere es Ihnen.

Hat Babette etwas von unserem Treiben bemerkt? Ich habe mir deswegen keine Gedanken gemacht. Ich trank meinen Kaffee aus und ging durch die Diele in mein Sprechzimmer, wo sie inzwischen ihren Kittel übergestreift hatte, und wir blickten uns einen Augenblick an, ehe wir uns küßten.

Wir wagten nicht zu sprechen, mein Richter. Nur unsere Augen durften es. Ich leide nicht an Verfolgungswahn, Sie können es glauben. Meine Mutter hatte die Gewohnheit, auf leisen Sohlen durchs Haus zu gehen, und oft, wenn man am wenigsten darauf gefaßt war, lief man ihr in die Arme.

Bei Armande war es, glaube ich, nicht eine Manie, sondern ein Prinzip. Richtiger gesagt: ein Recht, das sie ohne Scham ausübte. Ihr Recht als Hausherrin, die alles wissen mußte, was unter ihrem Dach vorging. Ich habe sie manchmal dabei ertappt, daß sie hinter einer Tür lauschte, aber sie ist nie errötet, hat nie die geringste Verlegenheit gezeigt.

Es war ihr Recht, ihre Pflicht. Wir haben uns auch damit abgefunden. Martine öffnete dann gleich darauf dem ersten Kranken die Tür, die immer ein wenig quietschte und deren Quietschen man oben hören konnte, wenn man die Ohren spitzte.

Den ganzen Vormittag blickten wir uns nur hin und wieder verstohlen an. Ich berührte ihre Finger, wenn sie mir den Telefonhörer reichte oder mir half, eine Wunde auszuwaschen und zu nähen, ein Kind festzuhalten.

Sie kennen die Verbrecher, aber Sie kennen die Kranken nicht. Während es schwer ist, jene zum Sprechen zu bringen, ist es schwer, diese zum Schweigen zu bringen. Und Sie können sich nicht vorstellen, wie das ist, wenn man stundenlang einen nach dem anderen ganz hypnotisiert von seinem Fall, von seinem Wehwehchen, seinem Herzen, seinem Urin, seinem Stuhlgang sprechen hört. Und da standen wir beide wenige Schritte voneinander entfernt und hörten ewig die gleichen Worte, während wir uns soviel Wichtiges zu sagen hatten.

Wenn man mich heute fragte, woran man die Liebe erkennt, wenn ich eine Diagnose der Liebe geben sollte: vor allem an dem Verlangen nach der Anwesenheit des Geliebten.

Und dann das Verlangen, sich sein eigenes Wesen und das des anderen zu erklären, denn man ist sich so sehr eines Wunders bewußt, man hat solche Angst, das zu verlieren, das man nie erhofft hatte, das einem das Schicksal vielleicht aus Versehen geschenkt hat, daß man immerzu das Verlangen spürt, sich zu beruhigen und, um sich zu beruhigen, zu verstehen.

Etwas zum Beispiel, das sie tags zuvor, als ich mich in Frau Debeurres Haus von ihr verabschiedete, gesagt hat, quälte mich die ganze Nacht. Stundenlang habe ich es in meinem Kopf gewälzt, um die Quintessenz herauszuziehen. Ich habe plötzlich das Gefühl gehabt, daß es uns über uns beide und unsere Liebe etwas ganz Neues offenbarte.

Und als Martine dann am nächsten Morgen kam, mußte ich, statt sofort mit ihr darüber sprechen zu können, viele Stunden in Ungewißheit und Angst verbringen.

Es blieb ihr nicht verborgen. Hinter dem Rücken eines Patienten flüsterte sie mir zu:

»Was hast du?«

Und trotz ihres beklommenen Blicks antwortete ich leise: »Nichts . . . Nachher . . .«

Die gleiche Ungeduld folterte uns, und über einen Patienten hinweg blickten wir uns immer wieder fragend an.

»Kannst du es nicht in einem Wort sagen?«

Ein Wort nur, um sie auf die Fährte zu bringen, weil sie Angst hatte, weil wir fortwährend Angst vor uns und den anderen hatten. Aber wie kann man so etwas mit einem Wort ausdrücken?

»Es ist nichts Ernstes, ich versichere es dir...«

Und dann kommt der nächste herein, der an einem Blasenkatarrh oder einer Angina, einem Furunkel, oder an Masern leidet. Und das allein ist wichtig, nicht wahr?

Der ganze Tag hätte uns nicht genügt, und man stahl uns das kleinste bißchen Zeit, so daß wir, wenn wir endlich dank Listen oder Lügen allein waren, oder wenn ich zu ihr kam, nachdem ich Gott weiß was erfunden hatte, um meine nächtliche Ausfahrt zu rechtfertigen, so nacheinander verlangten, daß wir uns nichts mehr zu sagen vermochten.

Das große Problem, das entscheidende Problem war zu entdecken, warum wir uns liebten, und es hat uns lange gequält, denn von seiner Lösung hing mehr oder weniger das Vertrauen ab, das wir in unsere Liebe haben konnten. Haben wir diese Lösung gefunden?

Ich weiß es nicht, mein Richter. Niemand wird es je wissen. Warum haben wir seit dem ersten Abend in Nantes, nach wenigen Stunden, die mehr trübe als erfreulich waren und in denen uns nichts verband, plötzlich dieses Verlangen nacheinander gespürt? Daß sie mit steifem Körper, offenem Munde und verängstigten Augen da lag, ist für mich zunächst ein Geheimnis gewesen, und es hat sich mir erst dann enthüllt.

Ich habe die kleine Barbesucherin, ihre Ticks und ihre Sicherheit und die dirnenhaften Blicke, die sie den Männern zuwarf, gehaßt. Aber als ich sie in der Nacht in meinen Armen hielt, als ich beunruhigt durch das, was ich nicht verstand, plötzlich Licht gemacht habe, habe ich gemerkt, daß ich im Begriff war, mich mit einem kleinen Mädchen abzugeben.

Ein kleines Mädchen, das von der Scham bis zum Nabel eine Narbe auf dem Leib hatte, ein kleines Mädchen, das mit Männern geschlafen hatte, ich könnte Ihnen jetzt sagen, mit wievielen Männern genau, oder wie, unter welchen Umständen, ja, in welchem Zimmer sogar. Ein kleines Mädchen dennoch, das Lebenshunger hatte und das sich zugleich vor dem Leben fürchtete.

Vor dem Leben? Vor ihrem Leben jedenfalls. Angst vor sich selbst, vor dem, was sie selbst zu sein glaubte, und ich schwöre Ihnen, sie hatte eine sehr geringe Meinung von sich.

Schon als sie noch ein kleines Kind war, hatte sie Angst, hielt sich für anders als die anderen, für weniger gut als die anderen, und darum, sehen Sie, hat sie sich die Menschen in Zeitschriften und Romanen zum Vorbild genommen, um wie sie zu werden, um ihnen zu gleichen, um ihre Angst zu beschwichtigen.

Und dazu gehörten auch die Zigaretten, die Bars, die hohen Hocker, die übereinandergeschlagenen Beine, die aggressive Vertraulichkeit mit den Barmixern, das Kokettieren mit den Männern, wer sie auch waren.

»Ich bin doch gar nicht so schlecht...«

Das hat sie im Anfang immer wieder gesagt. Und unaufhörlich hat sie bei jeder Gelegenheit die gleiche Frage gestellt:

»Bin ich wirklich so schlecht?«

Weil sie sich in ihrer Heimatstadt Lüttich, wo das geringe Vermögen ihrer Eltern ihr nicht erlaubte, mit ihren Freundinnen auf gleichem Fuß zu stehen, minderwertig fühlte, ist sie mutig allein nach Paris gegangen und hat dort eine kleine Stellung gefunden.

Um sich nicht minderwertig zu fühlen, hat sie zu rauchen und zu trinken begonnen, und auch auf einem anderen Gebiet, über das selbst in diesem Brief, der sich nur an Sie wendet, mein Richter, sich schwer sprechen läßt, fühlte sie sich minderwertig.

Als kleines Mädchen von zehn Jahren wurde sie von reicheren Freundinnen eingeladen, zu denen ihre Eltern sie voller Stolz schickten, und sie hat sich an ihren Spielen beteiligt, die nicht ganz unschuldig waren.

Ich habe gesagt, reichere Freundinnen, und ich betone das. Es handelt sich um Leute, von denen ihre Eltern mit einer nicht neidlosen Bewunderung sprachen, und auch mit dem Respekt, den man in gewissen sozialen Schichten den höheren Schichten zollt. Und als sie zu weinen begonnen hat, ohne daß sie zu gestehen wagte, warum, als sie sich in der Woche darauf geweigert hat, wieder zu diesen Freundinnen zu gehen, hat man gesagt, sie sei verrückt, und sie dazu gezwungen.

Das alles ist wahr, mein Richter. Ich bin selber dort gewesen. Ich wollte alles, was sie betraf, kennenlernen.

Ich bin nach Lüttich gefahren. Ich bin in dem Kloster der ›Töchter des Kreuzes‹ gewesen, dessen Internat sie besucht hat und wo sie wie alle Schülerinnen einen blauen Faltenrock und einen runden Hut mit breiter Krempe trug. Ich habe ihr Klassenzimmer gesehen, ihre Bank und an der Wand eine von ihr angefertigte komplizierte Stickerei, wie man sie Kinder machen läßt.

Ich habe ihre Hefte gesehen, ich habe ihre Aufsätze gelesen, ich weiß die von ihren Lehrerinnen mit roter Tinte geschriebenen Noten auswendig. Ich habe ihre Fotos aus der Kinderzeit gesehen, Klassenbilder, Fotos aus den Ferien, Fotos von Onkeln, Tanten, Vettern, Kusinen, die mir vertrauter geworden sind als meine eigene Familie.

Was hat mir den Wunsch eingegeben, was hat in mir das Verlangen geweckt, das alles kennenzulernen, während ich zum Beispiel, was Armande betrifft, nie ein solches Interesse empfunden habe? Ich glaube, mein Richter, der Grund war, daß ich, ohne es zu wollen, ihre wahre Persönlichkeit entdeckt habe. Und ich habe sie fast gegen Martines Willen entdeckt, weil sie sich ihrer schämte. Ich habe mich wochenlang bemüht, sie von der Scham zu befreien, und darum mußte ich ihre ganze Vergangenheit aufspüren. Im Anfang log sie. Sie log wie ein kleines Mädchen, das seinen Gefährtinnen stolz Geschichten von dem Dienstmädchen erzählt, obwohl es bei ihr zu Hause gar keins gibt.

Sie log, und ich entwirrte geduldig all diese Lügen, ich zwang sie, sie eine nach der anderen einzugestehen; es war ein verheddertes Knäuel, das ich entwirren mußte, aber ich hielt das Ende des Fadens fest und ließ nicht locker.

Ihrer reichen und lasterhaften Freundinnen wegen, ihrer Eltern wegen, die darauf bestanden, daß sie zu ihnen ging, weil es sich um eine der angesehensten Familien der Stadt handelte, hat sie es sich angewöhnt, an manchen Abenden sich in ihrem Bett auf den Bauch zu legen und stundenlang vergeblich versucht, sich selbst zu befriedigen.

Körperlich war sie frühreif, denn sie war schon mit elf Jahren Frau. Jahrelang hat sie vergeblich versucht, sich zu befriedigen, und der offene Mund, den ich in Nantes gesehen habe, die vor Angst weit aufgerissenen Augen, das wild schlagende Herz, das alles war die Folge davon.

Die Männer, mit denen sie sich dann einließ, nur um wie die anderen zu sein, um sich endlich wie die anderen zu fühlen, vermochten sie auch nicht zu befriedigen.

Mit zweiundzwanzig Jahren war sie noch Jungfrau, und sie hoffte noch immer.

Worauf hoffte sie? Auf das, was man uns zu hoffen gelehrt hat, was man auch sie zu hoffen gelehrt hatte, auf eine Ehe, auf Kinder, auf ein stilles Haus, auf all das, was die Leute das Glück nennen. Aber sie war in Paris fern von den Ihren, ein kleines Mädchen aus guter Familie ohne Geld.

Und da hat das kleine Mädchen eines Tages, als es müde und verzweifelt war, es wie die anderen machen wollen.

Ohne Liebe, ohne echte oder falsche Poesie, ohne echtes Verlangen, und ich für mein Teil finde das tragisch.

Sie hat sich mit einem Fremden eingelassen, und weil sie durchaus ans Ziel kommen wollte, hat der Mann geglaubt, sie sei eine glühende Liebhaberin.

Auch die anderen, mein Richter, die ihm gefolgt sind und von denen nicht einer begriffen hat, daß sie in seinen Armen etwas wie Befreiung suchte, von denen nicht einer geahnt hat, daß sie hinterher die gleiche Bitterkeit und den gleichen Ekel empfand wie bei ihren einsamen Versuchen, sich zu befriedigen.

Habe ich sie darum geliebt, und hat sie mich geliebt, weil mir das als erstem offenbar geworden ist?

Sie hat die Bars entdeckt, sie hat die Cocktails entdeckt. Und sie haben ihr für einige Stunden das Selbstvertrauen gegeben, dessen sie so sehr bedurfte. Und die Männer, die sie an diesen Orten kennenlernte, waren gern bereit, ihr zu helfen, an sich zu glauben.

Und ein paar Glas Alkohol, mein Richter, ein paar Komplimente, etwas, das einer Bewunderung und Zärtlichkeit gleichkam, nahmen ihr jede Widerstandskraft.

Haben wir nicht alle das gleiche getan, Sie, ich, alle Männer, die klügsten und die anständigsten? Haben wir nicht manchmal in den verrufensten Lokalen bei Frauen, die nur auf unser Geld aus waren, ein wenig Befreiung oder Selbstvertrauen gesucht?

Sie ist mit Unbekannten oder fast Unbekannten mitgegangen. Männer haben sie in Hotelzimmern, in ihrem Auto oder im Taxi geliebkost. Ich habe sie gezählt, wie ich Ihnen schon gesagt habe, ich kenne sie alle, ich weiß genau, was sie getan haben.

Verstehen Sie, warum es uns so sehr verlangt hat, miteinander zu sprechen, und wie furchtbar die leeren Stunden waren, die Stunden, die man uns stahl?

Sie fand nicht nur nicht die ersehnte Befreiung, sie suchte nicht nur vergeblich dieses Selbstvertrauen, das ihr eine Art inneres Gleichgewicht gegeben hätte, sondern sie blieb nüchtern genug, um sich bewußt zu sein, daß sie immer tiefer absank.

Als sie nach La Roche gekommen ist, mein Richter, als ich sie im Regen in Nantes auf einem Bahnhof kennengelernt habe, wo wir gerade beide unseren Zug versäumt hatten, war sie am Ende ihrer Kräfte. Sie kämpfte nicht mehr. Sie hatte sich mit allem abgefunden, auch mit dem Ekel vor sich selbst.

Sie war — — verzeih, daß ich das sage, Martine, aber du, du verstehst mich —, sie war wie eine Frau, die, um endlich Frieden zu haben, ins Bordell geht.

Das Wunder, daß ich ihr begegnet bin, daß wir uns, weil wir beide den Zug versäumten, kennengelernt haben, aber vor allem, daß ich, der nicht besonders klug ist, der sich, wie es manche meiner Kollegen tun, kaum mit Problemen dieser Art befaßt hat, daß ich, sage ich, Charles Alavoine, im Laufe einer Nacht, in der ich betrunken war und sie auch und in der wir angeekelt durch die vom Regen schmutzigen Straßen gingen, plötzlich verstanden habe. Nicht einmal verstanden. Ich habe nicht sofort verstanden. Sagen wir, um genau zu sein, ich habe in all dem Dunkel, in dem wir gefangen waren, ein kleines fernes Licht erblickt.

Das wahre Wunder im Grunde ist, daß ich Gott weiß warum das Verlangen spürte — vielleicht weil auch ich mich einsam fühlte, weil ich mir manchmal gewünscht hatte, mich auf eine Bank zu setzen und mich nicht mehr von ihr wegzurühren, vielleicht weil noch ein kleiner Funke in mir war, weil noch nicht alles in mir erloschen war — das wahre Wunder ist, daß ich diesem Licht näherkommen und verstehen wollte, und daß dieses Verlangen, dessen ich mir gar nicht bewußt war, genügt hat, mich alle Hindernisse überwinden zu lassen.

Ich wußte damals nicht einmal, was Liebe ist.

NEUNTES KAPITEL

Vorhin hat man meinen Zellengenossen geholt, um ihn ins Sprechzimmer zu führen, wo ihn ein Besucher erwartete. Es ist der, von dem ich Ihnen gesagt habe, daß er einem jungen Stier ähnele. Lange habe ich gar nicht gewußt, wie er heißt, und das war mir auch gleichgültig. Er heißt Antoine Belhomme und ist im Departement Loiret geboren.

Ich habe schließlich auch herausbekommen, warum er so verschlossen und mürrisch war. Sie haben ihn ›fertig gemacht‹, mein Richter, um seinen Ausdruck zu benutzen. In Wirklichkeit hatte man nur wenige überzeugende Beweise, um ihn vor Gericht zu stellen. Aber er wußte das nicht. Er glaubte, er sei ›geliefert‹, und er leugnete nur noch aus Prinzip, um nicht unnötig viel zu verraten. Und da hat ihm sein Richter, Ihr Kollege, so etwas wie einen Handel vorgeschlagen.

Ich vermute, er hat das nicht so unumwunden gesagt, aber ich glaube, was mir Belhomme berichtet hat. Man hat zuerst vom Bagno, von der Guillotine gesprochen, man hat ihm Angst eingejagt, bis ihm der kalte Schweiß ausbrach. Und als er so weit war, hat man die Möglichkeit eines Handels durchblicken lassen.

Wenn er ein Geständnis ablegte, würde man ihm das anrechnen, man würde ihn nicht des vorsätzlichen Mordes anklagen, weil er für seine Tat eine Flasche benutzt hatte, die er auf der Theke des Lokals gefunden hatte; man würde ihm auch seine Reue, seine gute Führung während der Untersuchungshaft anrechnen, und man versprach ihm, man ließ es ihn zumindest hoffen, daß er mit zehn Jahren davonkommen würde.

Er ist darauf eingegangen. Er hatte solches Vertrauen, daß, als sein Anwalt in Schweiß geriet, er ihn beruhigte: »Lassen Sie es doch laufen. Sie können nichts mehr daran ändern.«

Sie haben ihm trotzdem die Höchststrafe von zwanzig Jahren aufgebrummt, und das darum, weil es zwischen der Voruntersuchung und dem Prozeß der Zufall gewollt hat, daß zwei andere Verbrechen der gleichen Art in einem Vorort begangen wurden, und zu allem Unglück von jungen Männern seines Alters, was eine große Pressekampagne bewirkt hat. Die Zeitungen haben von einer Terrorwelle gesprochen, von einer ernsten sozialen Gefahr, von der Notwendigkeit, mit aller Strenge gegen die Täter vorzugehen.

Und mein junger Stier hat es ausbaden müssen. Entschuldigen Sie, wenn ich seine Ausdrücke benutze. Er ist jedenfalls einer, bei dem große Worte über die Gesellschaft und die Gerechtigkeit nicht mehr verfangen. Er hat sie alle gefressen.

Es war der erste Besuch, den er, seit wir zusammenleben, bekam. Er konnte gar nicht schnell genug aus der Zelle kommen. Als er vor wenigen Augenblicken zurückgekehrt ist, war er wie verwandelt. Er hat mich mit einem Stolz angeblickt, den ich selten in den Augen eines Menschen habe funkeln sehen, und hat nur gesagt:

»Es war die Kleine ...«

Ich wußte, daß er mit einer kaum Fünfzehnjährigen zusammenlebte, die in einer Fabrik in der Nähe des Pont de Puteaux arbeitet. Er hatte mir noch etwas anderes zu sagen, aber das brachte er nicht gleich heraus.

»Sie ist schwanger!«

Als Arzt, mein Richter, bin ich hundertmal der erste gewesen, der das, oft in Gegenwart ihres Mannes, einer jungen Frau mitteilte.

Ich kenne die verschiedensten Reaktionen darauf.

Aber ein so vollkommenes Glück, einen solchen Stolz hatte ich bei noch keinem erlebt. Und er fügte schlicht hinzu:

»Jetzt, da sie es mir gesagt hat, ist sie ruhig.«

Fragen Sie mich nicht, warum ich Ihnen diese Geschichte erzählt habe. Ich weiß es selber nicht. Ich will nichts damit beweisen. Sie hat keinerlei Beziehung zu der unseren. Und dennoch könnte sie vielleicht dazu dienen, zu erklären, was ich unter vollkommener Liebe, ja unter Reinheit verstehe.

Was gibt es Reineres als dieses Mädchen, das ganz stolz und glücklich zu ihrem zu zwanzig Jahren Zwangsarbeit verurteilten Geliebten kommt, um ihm mitzuteilen, daß sie ein Kind von ihm erwartet?

»Jetzt bin ich ruhig!«

Und er ist aus dem Sprechzimmer auch nicht mit besorgter Miene zurückgekommen.

In einem gewissen Sinn war etwas von dieser Reinheit in unserer Liebe. Sie war ebenso vollkommen, wenn Ihnen dieses Wort begreiflich zu machen vermag, daß wir von vornherein bereit waren, ohne es zu wissen, ohne eigentlich zu wissen, was in uns vorging, die äußersten Konsequenzen auf uns zu nehmen.

Darum hat mich Martine so geliebt, wie ich sie geliebt habe. Darum vielleicht habe ich sie mit der gleichen Unschuld geliebt — Sie dürfen ruhig lächeln —, mit der sie mir ihre Liebe geschenkt hat.

Schließt sich der Kreis? Wir kommen jetzt, mein Richter, auf ein Gebiet, wo es schwer wird, sich verständlich zu machen, vor allem jenen gegenüber, die davon nichts wissen.

Wieviel einfacher wäre es, unsere Geschichte Antoine Belhomme zu erzählen, der keine Erklärungen brauchte.

Noch bevor das in dem Hause meiner Frau, wie ich es jetzt gern nenne, geschehen ist, hatten wir, Martine und ich, schon das Leiden kennengelernt.

Ich wollte alles von ihr wissen, wie ich Ihnen schon gesagt habe. Und nach einigen Versuchen, mich zu belügen — weil sie mir keinen Kummer machen wollte —, hat sie mir gehorsam alles gesagt. Sie hat mir sogar zuviel gesagt. Sie hat sich vieler Sünden bezichtigt, die sie gar nicht begangen hatte, wie mir später klargeworden ist, so sehr hat sie sich immer schuldig gefühlt.

Ihre Ankunft in La Roche-sur-Yon an einem regnerischen Dezembertag und nach dem Umweg über Nantes, wo sie sich ein wenig Geld geborgt hat, war im Grunde etwas wie ein Selbstmord. Sie gab das Spiel auf. Ein Mensch kann solchen Ekel vor sich empfinden, daß er, um schneller ans Ende zu kommen, weil ihm dann nichts Schlimmeres mehr widerfahren kann, sich noch mehr beschmutzt.

Aber statt dessen hat ihr ein Mann zu einem neuen Leben verholfen. Damit, daß ich das tat, habe ich, und ich war mir dessen bewußt, eine schwere Verantwortung auf mich genommen. Ich spürte, daß sie von sich selbst, von ihrer Vergangenheit, von den wenigen Jahren, den so wenigen Jahren, in denen sie alles verloren hatte, erlöst werden mußte.

Ich bekomme medizinische Zeitschriften, die sich mit Psychoanalyse befassen. Wenn ich sie auch nicht immer gelesen habe, so bin ich über das Problem doch einigermaßen im Bilde. Manche Kollegen in der Provinz benutzen die psychoanalytische Methode, und das hat mich stets erschreckt.

Mußte ich sie nicht für immer von ihren Erinnerungen befreien? Ich habe es ehrlich geglaubt. Ich habe, glaube ich, keine sadistische oder masochistische Veranlagung.

Warum, wenn nicht um sie zu befreien, hätte ich Stunden und Aberstunden damit verbracht, mir von ihr beichten zu lassen, und mich hartnäckig bemüht, auch dem Schmutzigsten und Niedrigsten nachzuspüren?

Ich war von einer glühenden Eifersucht geplagt. Ich will Ihnen eine lächerliche Einzelheit gestehen. Als ich einige Zeit später, etwa Mitte Januar, Raoul Bouquet auf der Straße begegnete, habe ich ihn nicht gegrüßt. Ich habe ihn groß angesehen und habe ihn nicht gegrüßt.

Weil er sie vor mir kennengelernt hatte. Weil er sie zum Trinken eingeladen und sie es angenommen hatte, weil er die andere Martine gekannt hatte.

Die Martine vor mir. Die Martine, die ich haßte, die ich auf den ersten Blick gehaßt hatte und die sich selber haßte. Die neue Martine habe ich nicht geschaffen. Das bilde ich mir nicht ein. Ich halte mich nicht für Gottvater. Die neue Martine war das kleine Mädchen von einst, das nie ganz aufgehört hatte zu existieren, und mein einziges Verdienst, wenn es überhaupt ein Verdienst ist, mein einziges Anrecht auf ihre Liebe war, daß ich sie unter dem Plunder falschen Scheins, von dem sie sich hatte blenden lassen, entdeckt habe.

Ich habe mich bemüht, ihr um jeden Preis ihr Selbstvertrauen wiederzugeben, Vertrauen zum Leben, und darum haben wir uns zusammen an die große Säuberung gemacht. Wenn ich behaupte, daß ich alles von ihrer Vergangenheit weiß, dann meine ich damit wirklich alles, auch die Handlungen, Gedanken und Reaktionen, die ein Mensch selten einem anderen anvertraut.

Ich habe furchtbare Nächte erlebt, aber die schlechte Mar-

tine verschwand, und das allein war wichtig. Ich sah allmählich eine andere erstehen, die jeden Tag mehr einem
kleinen Foto von ihr ähnelte, das sie mir geschenkt hatte
und auf dem sie sechzehn Jahre alt war.

Ich fürchte mich nicht mehr davor, mich lächerlich zu machen. Hier fürchtet man sich vor nichts mehr, es sei denn
vor sich selbst. Jeder Mensch, selbst wenn sein ganzer Besitz nur aus zwei Koffern besteht, schleppt im Laufe der
Jahre eine gewisse Anzahl von Dingen mit sich. Wir haben
sie sortiert, unbarmherzig, so daß einige Dinge endgültig
tot sind, ein Paar Schuhe zum Beispiel – ich sehe es noch
vor mir, es war fast neu –, das sie eines Abends, an dem
sie sich mit einem Mann traf, getragen hatte, ist im Ofen
verbrannt worden.

Es ist ihr sozusagen nichts von dem geblieben, was sie mitgebracht hatte, und da ich nie über mein Geld verfügte,
sondern Armande immer um welches bitten mußte, konnte
ich ihr nicht kaufen, was ihr fehlte. Ihre Koffer waren
leer, ihre Garderobe auf das Notwendigste zusammenge-
schrumpft.

Es war im Januar. Wir mußten einander entdecken. Wir
mußten uns daran gewöhnen, mit unserer Liebe zu leben.
Wir mußten, wenn ich das so sagen darf, unsere Liebe in
das tägliche Leben verpflanzen, damit sie sich dort akkli-
matisierte.

Und jeden Morgen empfing ich dreißig Patienten, und ich
aß ohne Martine, zwischen Mama und Armande sitzend,
zu Mittag, und meine Töchter saßen mir gegenüber. Ich
sprach mit ihnen allen. Es muß mir wohl gelungen sein, wie
ein normaler Mensch zu sprechen, da Armande, die scharf-
sichtige, kluge Armande nichts gemerkt hat.

Ein Doppelspiel, mein Richter? Ach, manchmal, wenn ich
im Familienkreis am Tisch saß – ja, im Familienkreis, und
Martine war nicht dabei! –, sah ich plötzlich das Bild eines
Mannes vor mir, erinnerte mich an etwas, das sie getan
hatte, sah es so deutlich vor mir wie auf einer obszönen
Fotografie.

Das, meine Richter, wünsche ich niemandem. Der Schmerz, von dem geliebten Menschen getrennt zu sein, ist furchtbar, aber dieser ist eine wahre Höllenqual.

Dennoch blieb ich dort, und ich aß wohl auch. Man berichtete mir von den kleinen Ereignissen des Tages, und ich antwortete.

Ich mußte sie sofort sehen — verstehen Sie das? —, um mich zu überzeugen, daß es wirklich eine neue Martine gab, daß es nicht die gleiche war wie auf dem pornographischen Bild. Ich erwartete sie voller Ungeduld. Ich zählte die Minuten, die Sekunden. Sie kam durch das Tor. Ich hörte ihre Schritte auf dem Kies des Weges. Sie kam lächelnd herein.

Einmal, als sie mein Arbeitszimmer betrat, habe ich sie angestarrt, ohne sie zu sehen. Es war die andere, deren Bild ich nicht verscheuchen konnte, und plötzlich habe ich, ohne es zu wollen, zum erstenmal in meinem Leben geschlagen.

Ich konnte nicht mehr. Ich war am Ende. Ich konnte den Schmerz nicht mehr ertragen. Ich habe nicht mit der offenen Hand geschlagen, sondern mit der Faust.

Im selben Augenblick bin ich auf die Knie gefallen, ich schäme mich nicht, es zu sagen. Und sie, mein Richter, lächelte unter Tränen und blickte mich zärtlich an.

Sie weinte nicht. Nur in ihren Augen waren Tränen, die Tränen eines kleinen Mädchens, dem etwas weh tut, aber sie weinte nicht, sie lächelte, und ich versichere Ihnen, sie war traurig und glücklich zugleich.

Sie hat meine Stirn, mein Haar, meine Augen, meine Wangen und meinen Mund geküßt. Sie flüsterte:

»Mein armer Charles.«

Ich habe geglaubt, daß das nicht wieder geschehen würde, daß nie wieder das Tier in mir erwachen würde. Ich liebte sie. Ich liebte sie!

Dennoch habe ich es wieder getan. Als wir eines Abends bei ihr, bei uns, im Bett lagen und ich ihren Körper streichelte, haben meine Finger die Narbe berührt, und da waren all die Gespenster wieder da.

Ich liebte alles an ihr, ihre Haut, ihren Speichel, ihren Schweiß und vor allem, ach, vor allem ihr Gesicht am Morgen, das ich damals nur selten sah, denn es bedurfte für mich des Wunders, daß ich dringend zu einem Kranken gerufen wurde, um das Haus früh verlassen zu können und sie zu wecken.

Ich pfeife darauf, was Frau Debeurre von uns gedacht hat. Zählt das, sagen Sie mir, wenn man so etwas erlebt, wie wir es erlebten?

Sie war blaß, ihre Haare waren auf dem Kopfkissen ausgebreitet, und sie hatte im Schlaf ein kindlich schmollendes Gesicht. Mir blieb der Atem stocken, als ich sie einmal so weckte und sie mit geschlossenen Lidern murmelte:

»Papa...«

Weil auch ihr Vater ihr Morgengesicht liebte, weil er auf Zehenspitzen in jener schon so weit zurückliegenden Zeit, da er noch lebte und sie noch ein kleines Mädchen war, an ihr Bett kam. Sie sah dann nicht schön aus, mein Richter. Sie glich nicht dem Titelbild einer Illustrierten, aber ich wollte auch gar nicht, daß sie auf diese Art schön war. Das Rot war von ihren Lippen verschwunden, das Schwarz von ihren Wimpern, der Puder von ihren Wangen, sie war wieder ganz einfach eine Frau. Und schließlich sah sie den ganzen Tag so aus wie am Morgen, wenn sie noch schlief.

Ich hatte manchmal das Gefühl, an ihrem Gesicht radiert zu haben. In der ersten Zeit war es wie eine halb verwischte Zeichnung. Erst allmählich kam ihr wahres Gesicht zum Vorschein.

Wenn Sie das nicht verstehen, hat es keinen Sinn, daß ich weiterschreibe, aber ich habe gerade Sie gewählt, weil ich gespürt habe, daß Sie es verstehen werden.

Ich habe nichts geschaffen. Ich bin nie so vermessen gewesen, eine Frau nach dem Bilde zu formen, das ich mir von der Frau machte.

Ich wollte nur die wahre Martine, die Martine, die sie gewesen war, ehe die Männer sie beschmutzt hatten, um jeden Preis wieder sichtbar machen. Diese liebte ich und liebe ich. Sie ist die meine, sie bildet so sehr einen Teil von mir, daß uns nichts mehr trennt.

Frau Debeurre hat wahrscheinlich alles gehört, unser Flüstern, mein Brüllen, meine Zornesausbrüche, die Schläge. Nun und? Ist das unsere Schuld?

Armande hat später gesagt:

»Was mag diese Frau gedacht haben . . .«

Aber bedenken Sie, mein Richter, auf der einen Seite mein Haus, unser Haus, das Haus Armandes mit den Sesseln, dem rosa Läufer auf der Treppe und den Messingstangen, den Bridgeabenden und der Schneiderin, Frau Debeurre und ihr Unglück — ihr Mann war von einem Zug überfahren worden — und auf der anderen Seite das Abenteuer, in das wir uns eingelassen hatten, das vollkommene Spiel, das wir spielten, ohne irgendeinen Hintergedanken, mit vollem Einsatz, mit dem Einsatz unseres Lebens.

Ja, mit dem Einsatz unseres Lebens.

Martine hat das vor mir erkannt. Aber sie hat es nicht gesagt. Es ist das einzige, was sie mir verborgen hat. Und darum sah sie mich manchmal mit weit aufgerissenen Augen an. Sie sah mich schon, wie ich in der Zukunft sein würde, so wie ich in ihr die kleine Martine von einst sah.

Sie ist nicht zurückgewichen. Sie hat nicht einen Augenblick gezögert, und dennoch, wenn Sie wüßten, was für eine Angst sie vorm Tode hatte, eine kindliche Angst vor allem, was mit dem Tode zusammenhing!

Am Morgen nach einem Tage, an dem ich mit der Vergangenheit, mit der anderen Martine und meinen Gespenstern gekämpft hatte, am Morgen nach einem Tage, an dem ich sie noch heftiger geschlagen hatte als sonst, sind wir überrascht worden.

Es war acht Uhr. Meine Frau hätte oben bei meiner jüngsten Tochter sein müssen, die an jenem Tage schulfrei hatte. Patienten warteten auf den beiden Bänken des Wartezimmers. Ich habe nicht den Mut gehabt, ihnen sofort die Tür zu öffnen.

Martine hatte ein blaues Auge. Sie lächelte, und ihr Lächeln wirkte dadurch noch rührender. Ich floß vor Scham und Zärtlichkeit über. Ich hatte nach meinem Wutausbruch eine fast schlaflose Nacht gehabt.

Ich habe sie in meine Arme geschlossen. Mit unendlicher Sanftheit. Ja, mit unendlicher Sanftheit, auch deren war ich fähig, und ich fühlte mich zugleich als ihr Vater und ihr Geliebter. Ich wußte, was auch kommen mochte, wir gehörten zueinander und bald würde der Tag kommen, da wir einander nicht mehr prüfen brauchten und die Gespenster flüchten würden.

Ich habe in ihr vom Frost draußen noch kaltes Ohr geflüstert:

»Verzeih ...«

Ich schämte mich nicht. Ich schämte mich nicht mehr darüber, daß ich mich immer wieder hinreißen ließ, weil ich jetzt wußte, daß auch das zu unserer Liebe gehörte, daß unsere Liebe, so wie sie war, so wie wir sie wollten, nicht ohne diese Ausbrüche hätte bestehen können.

Wir standen reglos da. Sie hatte den Kopf auf meine Schulter gelegt. In diesem Augenblick, ich erinnere mich deutlich daran, sah ich sehr weit, in die Vergangenheit und in die Gegenwart zugleich. Ich begann voller Entsetzen zu ermessen, welchen langen Weg wir noch zurückzulegen hatten.

Ich erfinde das nicht nachträglich. Es wäre weder ihrer noch meiner würdig. Ich habe keine Vorahnung gehabt, wie ich Ihnen gleich sagen will. Ich sah nur diesen Weg, auf dem wir allein gingen.

Ich suchte ihre Lippen, um mir Mut zu machen, und da hat sich die Tür zur Diele geöffnet, und Martine und ich haben nicht einmal daran gedacht, uns voneinander zu lösen, als wir Armande vor uns sahen. Wir sind umschlungen stehengeblieben. Sie hat uns angeblickt und hat gesagt, ich höre noch den Ton ihrer Stimme:

»Entschuldigt ...«

Dann ist sie hinausgegangen und hat die Tür hinter sich zugeschlagen.

Martine hat nicht verstanden, mein Richter, warum ich

gelächelt habe, warum ich ein so heiteres Gesicht gemacht habe.

Ich war erleichtert. Endlich!

»Sei ruhig, Geliebte. Weine nicht. Weine nur nicht.«

Sie brauchte nicht zu weinen, sie sollte nicht weinen. Gleich darauf klopfte es an die Tür. Es war Babette.

»Die gnädige Frau läßt den Herrn Doktor bitten, in ihr Zimmer hinaufzukommen.«

Aber ja, meine gute Babette! Aber ja, Armande! Es war höchste Zeit. Ich konnte nicht mehr, ich erstickte.

Sei ruhig, Martine. Ich weiß, daß du zitterst, daß das kleine Mädchen, das du bist, wieder einmal erwartet, geschlagen zu werden. Bist du nicht immer geschlagen worden?

Vertrauen, Geliebte. Ich gehe hinauf. Und dort oben werde ich mir die Freiheit unserer Liebe holen.

Es gibt Worte, mein Richter, die man nie aussprechen sollte, Worte, die die einen belasten und die anderen entlasten.

»Du wirst sie doch wohl hinauswerfen?«

Aber nein, Armande, aber nein. Davon kann nicht die Rede sein.

»Jedenfalls dulde ich nicht, daß sie auch nur noch eine Stunde unter meinem Dach bleibt...«

Nun, da es dein Dach ist, meine Liebe... Verzeih, ich habe unrecht, und ich habe an jenem Tag unrecht gehabt, ich habe Gift und Galle gespien, ach ja, ich habe eine Stunde lang unaufhörlich Gift und Galle gespien, während ich wie ein wildes Tier zwischen dem Bett und der Tür hin und her lief. Armande dagegen, die am Fenster stand, bewahrte eine würdige Haltung.

Ich bitte auch dich um Verzeihung, Armande, so unerwartet dir das erscheinen mag, denn das alles war unnütz, überflüssig.

Ich habe alles, was ich auf dem Herzen hatte, herausgeschrien, all meine Demütigungen, all meine Feigheiten, all meine verdrängten Wünsche. Und das alles habe ich dir aufgebürdet, dir allein, als ob du allein die Verantwortung dafür tragen müßtest.

Ich habe gesehen, wie du, die immer so Beherrschte, unsicher geworden bist und mich mit fast ängstlichen Augen angeblickt hast, weil du entdecktest, daß der Mann, der zehn Jahre lang in deinem Bett geschlafen hatte, ein ganz anderer war als der, den du in ihm vermutet hattest.

Ich schrie dich an, und man hörte mich bestimmt unten.

»Ich liebe sie, verstehst du? Ich liebe sie!«

Und da hast du, die Fassung verlierend, gesagt:

»Wenn du nur ...«

Ich erinnere mich nicht mehr an die genauen Worte. Ich war zu erregt. Am Tage zuvor hatte ich eine andere geschlagen, eine andere, die ich liebte.

»Wenn du dich wenigstens damit begnügt hättest, sie außerhalb des Hauses zu treffen ...«

Da habe ich getobt, nicht nur gegen Armande, gegen sie alle, gegen das Leben, so wie sie es verstehen. Gegen die Vorstellung, die sie sich von der Ehe und der Vollkommenheit, die sie erreichen kann, machen. Das war unrecht von mir. Ich bereue es. Sie konnte es nicht verstehen. Sie war nicht mehr verantwortlich als der Staatsanwalt oder Herr Gabriel.

Am ganzen Leibe zitternd, sagte sie mehrmals:

»Deine Kranken warten auf dich ...«

Und Martine, wartete nicht auch sie auf mich?

»Wir werden nachher weiter darüber sprechen, wenn du dich beruhigt hast.«

Nein. Sofort, wie ein Eingriff, der keinen Aufschub zuläßt.

»Wenn du sie so sehr brauchst ...«

Weil ich ihr, sehen Sie, die ganze Wahrheit ins Gesicht geschrien hatte, die ganze!

Man bot mir ein Kompromiß an. Ich könne zu ihr gehen, wie ein Bouquet es getan hätte, ich könne, kurz gesagt, wenn ich diskret dabei vorginge, von Zeit zu Zeit mit ihr schlafen.

Das Haus muß in seinen Festen geschwankt haben. Ich bin brutal und wie von Sinnen gewesen, ich, den meine Mutter immer mit einem sanften Hund verglichen hatte.

Ich war boshaft, war absichtlich grausam. Ich mußte es sein, nur so konnte ich mich erleichtern.

»Denke an deine Mutter ...«

Sch .....

»Denke an deine Töchter ...«

Sch .....

»Denke an ...«

Ich pfiff darauf. Es war alles entschieden. Mit einem Schlage und in einem Augenblick, da ich am wenigsten darauf gefaßt war. Und es verlangte mich nicht, wieder von vorn anzufangen.

Babette hat an die Tür geklopft und hat mit ängstlicher Stimme gesagt:

»Der Herr Doktor wird am Telefon verlangt ...«

»Ich komme.«

Martine reichte mir stumm den Hörer, auf das Schlimmste gefaßt, Martine, die schon auf alles verzichtet hatte.

»Hallo ... Wer ist am Apparat?«

Ein dringender ernster Fall.

»Ich bin in wenigen Minuten dort.«

Ich habe mich umgedreht und gesagt:

»Sag im Wartezimmer Bescheid ...«

Das Natürlichste von der Welt, mein Richter. Für mich war alles entschieden. Sie stand bleich vor mir mit farblosen Lippen, und ich wäre beinahe darüber böse geworden.

»Es ist alles in Ordnung. Wir fahren weg ...«

Ich hatte schon meine Tasche in der Hand. Ich nahm meinen Mantel vom Haken.

Der Gedanke, sie zu küssen, ist mir nicht gekommen.

»Wir fahren beide weg ...«

*

Es war am Abend gegen neun Uhr. Ich hatte absichtlich den Nachtzug gewählt, weil meine Töchter dann schon schliefen.

Ich bin hinaufgegangen und habe sie in ihrem Bett geküßt. Ich wollte von niemandem begleitet werden. Ich bin ein paar Minuten obengeblieben, und nur die ältere ist halb erwacht. Dann bin ich sehr ruhig wieder hinuntergegangen. Das Taxi wartete vor dem Tor, und der Chauffeur verlud mein Gepäck. Mama war im Salon. Sie hatte rote Augen und hielt ein zerknülltes Taschentuch in der Hand. Ich habe geglaubt, es würde trotzdem alles gutgehen, aber im letzten Augenblick, als ich mich aus ihren Armen losmachte, hat sie ganz leise gestammelt, bevor sie in Schluchzen ausbrach:

»Du läßt mich ganz allein mit ihr ...«

Armande stand in der Diele. Sie hatte meine Koffer gepackt. Sie dachte wie immer an alles und schickte Babette hinauf, um eine vergessene Reisetasche zu holen.

Die Diele war hell erleuchtet. Man hörte gedämpft Mamas Schluchzen und draußen das Brummen des Motors, den der Chauffeur anließ.

»Auf Wiedersehn, Charles ...«

»Auf Wiedersehn, Armande ...«

Und dann haben wir zur selben Zeit die gleichen Worte gesagt:

»Ich grolle dir nicht ...«

Ohne es zu wollen, haben wir gelächelt. Ich habe sie umarmt und auf beide Wangen geküßt. Sie hat mir einen Kuß auf die Stirn gegeben, mich zur Tür geschoben und gehaucht:

»Geh ...«

Ich habe Martine abgeholt, und dann sind wir zum Bahnhof gefahren. Diesmal regnete es nicht, und ich hatte noch nie so viele Sterne am Himmel gesehen. Arme Martine, die noch Angst hatte, die mich verstohlen beobachtete und mich, als wir in den Zug stiegen, fragte:

»Wirst du es bestimmt nicht bereuen?«

Wir waren allein im Abteil. Wir haben sofort das Licht ausgemacht, und ich habe sie so fest an mich gedrückt, wie man Auswandererpaare sich im Zwischendeck der Schiffe aneinanderschmiegen sieht.

Auch wir brachen ins Unbekannte auf.

Was hätten wir uns in dieser Nacht sagen können? Selbst als ich eine warme Träne an meiner Wange gespürt habe, habe ich nicht nach Worten gesucht, um Martine zu beruhigen, sondern habe nur ihre Lider geküßt.

Sie ist schließlich eingeschlafen, und ich habe alle Bahnhöfe mit ihren Lichtern gezählt, die hinter den Vorhängen vorüberglitten. In Tours haben mit Gepäck beladene Leute unsere Tür geöffnet. Sie haben uns sicherlich engumschlungen im Dunkel erspäht.

Nachdem sie ganz leise die Tür geschlossen haben, sind sie auf Zehenspitzen davongegangen.

Wir sind nicht geflüchtet. Vor unserer Abreise hatten Armande und ich alles geregelt. Wir haben sogar stundenlang über unsere Zukunft gesprochen.

Was sage ich, sie hat mir mit ein wenig zögernder Stimme, als wolle sie mich dafür um Verzeihung bitten, Ratschläge gegeben. Keine Ratschläge, was Martine betrifft natürlich, sondern hinsichtlich meiner Arbeit.

Alles wurde dadurch sehr erleichtert, daß der kleine Braille wie durch ein Wunder gerade frei war. Er ist ein aus einer sehr armen Familie stammender junger Arzt — seine Mutter arbeitet als Putzfrau in der Nähe der Gare d'Austerlitz —, der, weil ihm das Geld fehlt, sich erst in einigen Jahren wird niederlassen können.

Inzwischen übernimmt er Vertretungen. Ich kannte ihn, weil ich ihn während meines letzten Urlaubs als Vertreter genommen hatte, und er hat seine Sache sehr gut gemacht.

Im Einverständnis mit Armande habe ich ihn in Paris angerufen. Ich fürchtete, daß er einen Kollegen vertreten müsse, der ein paar Wochen zum Wintersport nach Chamonix oder Megève fahren wollte.

Aber er war frei. Er war bereit, sofort zu kommen und

mich für eine unbegrenzte Zeit in meiner Praxis zu vertreten. Ich weiß nicht, ob er begriffen hat, warum. Ich habe ihm jedenfalls zu verstehen gegeben, wenn er wolle, könne er für immer in La Roche bleiben.

Er hat das Zimmer bekommen, in dem Martine zwei Nächte geschlafen hatte. Er ist rothaarig, ein wenig zu verkrampft, wie ich finde — man merkt ihm zu sehr an, daß er sich eines Tages zu rächen gedenkt —, aber die meisten Leute finden ihn sympathisch.

So hat sich in dem Hause in La Roche fast nichts verändert. Ich habe ihnen meinen Wagen gelassen. Armande, meine Mutter und meine Töchter können in dem gleichen Stil weiterleben, denn der kleine Braille begnügt sich mit einem festen Gehalt, und so bleibt noch genug übrig.

»Nimm nicht das erste beste an, was sich dir bietet. Zahle nicht gleich den Preis, den man von dir fordert ...«

Denn ich wollte natürlich weiter arbeiten. Ich habe zuerst daran gedacht, mir eine Stellung in einem großen Pariser Laboratorium zu suchen, aber das würde mich zwingen, Martine einen Teil des Tages allein zu lassen. Ich habe das Armande offen gesagt, und sie hat mit einem Lächeln, das nicht so ironisch war, wie ich es hätte befürchten können, gemurmelt:

»Hast du solche Angst?«

Ich bin eifersüchtig, aber ich habe keine Angst. Nicht weil ich Angst habe, fühle ich mich unglücklich und einsam, sobald ich sie einen Augenblick verlasse.

Wozu das Armande erklären, die es übrigens, möchte ich schwören, sehr gut verstanden hat.

Ich brauchte nur einen Teil unserer Ersparnisse, um eine Praxis in der Umgebung von Paris übernehmen zu können. Alles übrige, was wir besaßen, habe ich Armande und den Kindern gelassen. Ich brauchte ihr nicht einmal eine Vollmacht auszustellen, denn sie hatte schon lange eine.

So haben wir alles bestens und in aller Ruhe geregelt.

»Gedenkst du hin und wieder herzukommen, um deine Töchter zu sehen?«

»Ich gedenke sie oft wiederzusehen.«

»Ohne sie?«

Ich habe nicht geantwortet.

»Das wirst du mir nicht antun, nicht wahr, Charles?«

Ich habe nichts versprochen.

Als wir in Paris ankamen, schien die Sonne. Wir sind in einem durchschnittlichen anständigen Hotel in der Nähe des Bahnhofs abgestiegen, und ich habe uns als ›Herr und Frau Charles Alavoine‹ ins Fremdenbuch eingeschrieben.

Wir mußten erst lernen, mit unserer Freiheit umzugehen, und wir waren noch ein wenig unbeholfen. Zehnmal am Tage passierte es, daß einer den anderen verstohlen beobachtete, und der sich ertappt Fühlende, wenn ich so sagen darf, bemühte sich zu lächeln.

Ganze Viertel von Paris jagten mir Angst ein, weil sie von Gespenstern bevölkert waren, ich meine, Menschen aus Fleisch und Blut, denen wir hätten begegnen können.

Wie in einer stummen Vereinbarung wichen wir ihnen beide aus. Manchmal geschah es, daß wir an der Ecke einer Straße oder Avenue kehrtmachten oder von der linken auf die rechte Straßenseite überwechselten, ohne daß wir uns etwas sagen mußten, und ich drückte dann immer Martines Arm liebevoll, weil ich merkte, daß sie bekümmert war.

Sie hatte auch davor Angst, daß es mir schwerfallen könnte, in meinem Beruf wieder von vorn beginnen zu müssen. Mich dagegen machte das nur heiter.

Wir haben zusammen Immobilienfirmen aufgesucht, deren Spezialität der Verkauf von Arztpraxen ist, und wir haben uns mehrere dieser Praxen angesehen, sowohl in den armen als auch in den bürgerlichen Vierteln.

Warum lockten mich die Armenviertel mehr als die anderen? Es verlangte mich, mich von einem gewissen Milieu zu entfernen, das mich an mein früheres Leben erinnerte, und es schien mir, daß Martine mir um so mehr gehören würde, je weiter wir jenes Milieu hinter uns ließen.

Wir haben uns nach nur viertägiger Suche für eine Praxis

in Issy-les-Moulineaux, dem belebtesten, düstersten Arbeitervorort, entschieden.

Mein Vorgänger war ein Rumäne, der in wenigen Jahren ein Vermögen verdient hatte und wieder in seine Heimat zurückkehrte. Er hat die Vorzüge seiner Praxis natürlich übertrieben.

Es war fast eine Fabrik, und die Patienten folgten einander fast wie auf einem Fließband. Das weißgekalkte Wartezimmer mit den Kritzeleien an den Wänden ließ an einen öffentlichen Warteraum denken. Man rauchte dort und spuckte aus. Und sicherlich hätte es eine Schlägerei gegeben, wenn ich einen Kranken außer der Reihe behandelt hätte.

Die Praxis lag im Erdgeschoß. Das Wartezimmer ging zur Straße, und man betrat es wie einen Laden, ohne zu klingeln, ohne daß ein Mädchen die Tür öffnete. Man setzte sich und wartete.

Das Sprechzimmer, in dem wir fast den ganzen Tag verbrachten, Martine und ich, lag zum Hof, und auf diesem Hof befand sich eine Schmiede, in der von morgens bis abends gehämmert wurde.

Unsere Wohnung im dritten Stock war noch ziemlich neu, aber die Zimmer waren so winzig, daß sie wie eine Puppenwohnung wirkte. Wir hatten die Möbel des Rumänen übernehmen müssen, Serienmöbel, wie man sie in den Schaufenstern der Warenhäuser sieht.

Ich habe einen gebrauchten Zweisitzer gekauft, denn Issy-les-Moulineaux ist so groß wie eine Provinzstadt, und meine Patienten wohnten in dem ganzen Ort verstreut. Außerdem hätte es mich in der ersten Zeit, wie ich gestehen muß, sehr gedemütigt, oft viele Minuten lang an der Straßenecke auf die Straßenbahn zu warten.

Martine hat Autofahren gelernt und ihren Führerschein gemacht. Sie diente mir als Chauffeur.

Wofür diente sie mir nicht? Es gelang uns nicht, ein Mädchen zu finden. Wir hatten in verschiedenen Provinzzeitungen eine Anzeige aufgegeben, und bis sich jemand darauf melden würde, begnügten wir uns mit einer Putzfrau, die sehr schmutzig und bösartig war und sich bereitfand, täglich für zwei bis drei Stunden zu kommen.

Dennoch ging Martine morgens um halb acht mit mir in die Praxis hinunter, zog ihren Kittel an, setzte ihre Haube auf und bereitete alles für mich vor. Mittag aßen wir meistens in einer kleinen Chauffeurkneipe, und bisweilen blickte sie mich besorgt an. Ich mußte ihr immer wieder sagen:

»Ich schwöre dir, ich bin sehr glücklich . . .«

Und das stimmte. Das Leben begann wirklich wieder fast von vorn. Ich wäre gern noch ärmer gewesen und hätte gern noch weiter unten angefangen.

Sie fuhr mich dann durch die belebten Straßen, wartete vor den Häusern, in denen meine Kranken wohnten, auf mich, und wenn wir es konnten, kauften wir abends zusammen ein und aßen dann in unserer Puppenwohnung.

Wir gingen wenig aus. Ohne es zu wollen, hatten wir die Gewohnheiten des Viertels angenommen, in dem wir lebten. Einmal wöchentlich verbrachten wir den Abend in dem gleichen Kino wie meine Kranken, einem Kino, in dem es nach Apfelsinen, Schokoladeneis, sauren Bonbons roch und wo man auf die Schalen von Erdnüssen trat.

Wir schmiedeten keine Zukunftspläne. Ist das nicht der Beweis, daß wir glücklich waren?

ZEHNTES KAPITEL

Keinen einzigen Abend, mein Richter, sind wir eingeschlafen — sie schmiegte ihren Kopf an meine Schulter, und wir sind oft in der gleichen Stellung aufgewacht —, keinen Abend, sage ich, haben wir die Augen geschlossen, ohne daß ich sie vorher besessen hatte.

Es war fast ein Ritual. Es war für sie ein beklemmender Augenblick, denn sie wußte, welchen Preis ich dafür zahlte und welchen Preis sie zahlen mußte, wenn nur im geringsten die andere wieder in ihr zum Vorschein kam. Sie durfte sich, koste es, was es wolle, nicht verkrampfen, weil ich darunter litt, sie durfte sich nicht keuchend und verzweifelt um eine Befriedigung bemühen, die sie nie erlebt und um die sie früher immer so lange gerungen hatte, bis sie am Ende ihrer Kräfte war.

»Du siehst, Charles, ich werde nie eine Frau wie die anderen sein.«

Ich tröstete sie, aber manchmal beschlichen selbst mich Zweifel. So daß wir uns oft vor diesem Augenblick fürchteten, in dem unsere Körper eins werden sollten...

»Eines Tages, wenn du gar nicht mehr daran denken wirst, wird das Wunder geschehen...«

Und das Wunder ist geschehen. Ich erinnere mich an das Erstaunen, das ich in ihren Augen las, in denen sich noch die Angst spiegelte. Ich spürte, der Faden war noch so schwach, daß ich sie nicht zu ermutigen wagte und so tat, als merkte ich gar nicht, was vorging.

»Charles...«

Ich habe sie noch stärker und liebevoller an mich gepreßt, und da hat sie wie ein Kind gefragt:

»Darf ich?«

Ja, sie durfte. Ich konnte den Blick nicht von ihr wenden. Dann hat sie einen lauten Schrei ausgestoßen, einen Schrei, wie ich ihn noch nie gehört hatte, einen tierischen Schrei und zugleich einen Schrei des Triumphs, und dabei lächelte sie, ein Lächeln, in dem sich Stolz und Verlegenheit mischten — denn sie war ein wenig verlegen —, und als ihr Kopf auf das Kissen zurückgesunken ist, als ihr Körper sich sacht entspannt hat, hat sie gestammelt:

»Endlich.«

Ja, endlich, mein Richter. Endlich gehörte sie mir ganz. Endlich war sie Frau. Endlich besaß ich von ihr außer ihrer Liebe auch etwas, das die anderen nie kennengelernt hatten. Sie wußten nichts davon, sie hatten nichts gemerkt. Aber was hat das schon zu sagen?

Wir hatten soeben einen bedeutenden Schritt vorwärts getan. Dieser Sieg mußte, wenn ich mich so ausdrücken darf, gesichert werden, damit es nicht etwas Einmaliges blieb.

Lächeln Sie nicht. Versuchen Sie bitte, zu verstehen. Machen Sie es nicht wie jene Leute, die sich mit meinem Fall befaßt haben, wie jene Justiz, deren Diener auch Sie sind, und die nichts von dem hat sehen wollen, was bei meinem Verbrechen von Bedeutung war. An manchen Abenden danach, in dem Augenblick, da wir am glücklichsten waren, während sie in meinen Armen schlief und meine Hand mechanisch ihre sanfte Haut streichelte, habe ich gedacht, fast ohne mir dessen bewußt zu werden:

»Und eines Tages werde ich sie töten müssen.«

Das sind genau die Worte, die mir durch den Kopf gegangen sind. Ich glaubte nicht daran, das möchte ich betonen, aber ich wehrte mich auch nicht mehr dagegen. Ich streichelte weiter ihre Hüfte an der Stelle, die ich besonders liebte, ihr aufgelöstes Haar kitzelte mich an der Wange, ich spürte ihren regelmäßigen Atem an meinem Hals, und ich dachte:

»Ich werde sie töten müssen . . .«

Ich war nicht eingeschlafen. Ich hatte noch nicht jenen Zustand erreicht, da man nicht mehr ganz wach ist und auch noch nicht schläft und in dem manchmal eine erschreckende Klarheit über einen kommt.

Ich stieß sie nicht weg. Ich streichelte sie immer noch. Sie war mir teurer denn je. Sie war mein ganzes Leben. Aber zugleich war sie trotz ihrer Liebe, ihrer demütigen Liebe — prägen Sie sich das Wort ein: ihre Liebe war demütig — die andere, und sie wußte es.

Wir wußten es beide. Wir litten beide darunter. Wir lebten, wir handelten, wir sprachen, als hätte die andere nie existiert.

Manchmal öffnete Martine den Mund, schwieg dann aber verlegen.

»Was wolltest du sagen?«

»Nichts . . .«

Weil sie dachte, daß die Worte, die sie fast ausgesprochen

hätte, meine Gespenster wecken könnten. Und es waren oft harmlose Worte, bis auf den Namen einer Straße, Rue de Berri, wo es scheint's ein Stundenhotel gibt. Ich bin seitdem nie durch die Rue de Berri gegangen. Es gibt in Paris ein Theater, von dem wir nie zu sprechen wagten, weil sich dort in einer Loge, wenige Wochen vor Martines Reise nach Nantes und La Roche, etwas ereignet hatte.

Es gab gewisse Taxis, erkennbar an ihrer besonderen Farbe — ach, es ist die Mehrzahl der Pariser Taxis —, deren Anblick in mir widerliche Bilder beschwor.

Verstehen Sie jetzt, warum unsere Gespräche manchmal dem Gang gewisser Kranker glichen, die wissen, daß eine unbedachte Bewegung ihnen verhängnisvoll werden kann? Man sagt, sie gehen auf Eiern. Auch wir gingen auf Eiern. Nicht immer, denn dann wäre unser Leben nicht gewesen, was es gewesen ist. Wir hatten lange sorglose, heitere Perioden. Wie viele von denen, die gelernt haben, Angst vor dem Leben zu haben, war Martine ziemlich abergläubisch, und wenn der Tag zu fröhlich begann, merkte ich, daß sie etwas bekümmerte, was sie mir verbarg.

Ich habe immer wieder gegen ihre Angst gekämpft, ich habe mich bemüht, ihre Angst zu vernichten. Es ist mir geglückt, sie von den meisten ihrer Alpträume zu befreien. Ich habe sie glücklich gemacht. Ich weiß es. Ich verbiete jedem, das Gegenteil zu behaupten.

Und sie ist mit mir glücklich gewesen. Hören Sie?

Und gerade weil sie glücklich war und bis dahin das Glück nie gekannt hatte, zitterte sie manchmal vor Angst.

In La Roche-sur-Yon hatte sie Angst vor Armande, vor meiner Mutter und meinen Töchtern, vor meinen Freunden, vor allem, woraus bis dahin mein Leben bestanden hatte.

In Issy-les-Moulineaux hat sie anfangs vor dem Leben Angst gehabt, das wir dort führten und von dem sie glaubte, es könne mich mutlos machen.

Von diesen Ängsten und auch noch von anderen habe ich sie geheilt.

Aber unsere Gespenster blieben, jene, von denen ich sie befreit hatte und gegen die sie mich kämpfen sah.

Es blieb mein Leiden, das mich in einem Augenblick, da wir am wenigsten daran dachten und uns davor geschützt glaubten, jäh überfiel und das mich in wenigen Sekunden in wilden Zorn geraten ließ.

Sie wußte genau, daß nicht sie es war, die ich in diesen Augenblicken haßte, daß meine Fäuste nicht auf sie zielten. Sie machte sich ganz klein, war von einer Demut, wie sie mir noch nie begegnet war.

Eine Einzelheit, mein Richter. Das erstemal hatte sie instinktiv den Arm vor das Gesicht gelegt, um die Schläge zu parieren. Das hatte, Gott weiß warum, meine Wut noch mehr entfacht, und weil sie das jetzt wußte, wartete sie reglos, ohne daß sich ihre Züge verzerrten, und ihre Lippen zitterten, obwohl sie vor Angst fast umkam.

Ich habe sie geschlagen. Ich entschuldige mich nicht dafür. Ich bitte niemanden um Verzeihung. Der einzige Mensch, den ich um Verzeihung bitten könnte, ist Martine, und Martine bedarf dessen nicht, weil sie es versteht.

Eines Nachmittags habe ich sie in unserem kleinen Wagen geschlagen, als wir an der Seine entlangfuhren ... Ein andermal im Kino, und wir mußten schnell hinausgehen, denn sonst hätten mich die neben uns Sitzenden in ihrer Empörung verprügelt ...

Ich habe oft versucht, zu analysieren, was in jenen Augenblicken in mir vorging. Heute glaube ich die Frage beantworten zu können. Obwohl sie sich verändert hatte, denn sie hatte sich in wenigen Monaten verändert, bemerkte ich immer wieder einen Zug, einen Tick, einen Ausdruck der anderen an ihr.

Das geschah nur, wenn ich sie auf eine besondere Art anblickte. Und ich blickte sie so nur an, wenn ich eines Wortes, eines Bildes wegen an ihre Vergangenheit dachte.

Einen Augenblick! Das Wort Bild ist ohne Zweifel der Schlüssel. Ohne es zu wollen, gegen meinen Willen, vermochte ich plötzlich ein Bild von fotografischer Schärfe vor mir zu sehen, und dieses Bild legte sich ganz selbstverständlich über das der Martine, die vor mir stand.

Von da an glaubte ich an nichts mehr. An nichts, mein Richter, nicht einmal an sie. Nicht einmal an mich. Ich empfand nur noch Ekel. Man hatte uns betrogen. Man hatte uns bestohlen. Ich wehrte mich dagegen. Ich . . . Ich schlug. Es war das einzige Mittel, das alles zu überwinden. Sie wußte es so genau, daß sie es wünschte, daß sie mich gewissermaßen dazu aufforderte, damit ich schneller davon befreit sei.

Ich bin weder verrückt noch krank. Wir waren beide nicht krank. Hatten wir unser Ziel zu hoch gesteckt, hatten wir nach einer Liebe gestrebt, die dem Menschen verboten ist? Wir sind anständig gewesen. Wir haben unser Bestes getan. Wir haben nie versucht, zu mogeln.

»Ich werde sie töten . . .«

Ich glaubte nicht daran, aber als mir diese Worte immer wieder ins Gedächtnis kamen wie eine dumme Redensart, jagten sie mir keine Angst mehr ein.

Ich errate, was Sie denken. Das ist lächerlich. Sie werden vielleicht eines Tages erfahren, daß es schwerer ist zu töten, als getötet zu werden. Und noch schwerer, monatelang mit dem Gedanken zu leben, daß man eines Tages den einzigen Menschen, den man liebt, mit seinen Händen töten wird.

Ich habe es getan.

Im Anfang war es vage, wie eine sich ankündigende Krankheit, die mit unbestimmten Beschwerden beginnt, mit Schmerzen, die man nicht zu lokalisieren vermag. Ich habe Patienten gesehen, die von einem Schmerz sprachen, den sie zu bestimmten Stunden in der Brust fühlten, die aber nicht angeben konnten, auf welcher Seite.

Viele Abende lang habe ich in unserem Zimmer in Issy unbewußt eine Therapie versucht. Ich fragte sie nach der Martine, die sie als Kind gewesen war und der die Martine, die ich liebte, jeden Tag mehr glich.

Wir hatten keine Zeit gehabt, das Zimmer neu tapezieren zu lassen, und die Tapete mit ihren modernen barocken Blumen war recht geschmacklos. Der ebenfalls moderne Sessel, in den ich mich im Morgenrock setzte, war mit giftgrünem Samt bezogen. Selbst die Stehlampe war häßlich, aber wir achteten gar nicht darauf, wir taten nichts, um den Rahmen unseres Lebens zu verändern, so gleichgültig war uns das.

Sie sprach. Es gibt Namen und Vornamen, die mir vertrauter geworden sind als die der großen Männer der Geschichte. Eine ihrer Kindheitsfreundinnen zum Beispiel, ein Mädchen namens Olga, kam jeden Abend wieder aufs Tapet und spielte die Rolle des Verräters.

Ich kenne jeden Verrat, den die Olga begangen hat, im Kloster, dann in der Welt, als die kleinen Mädchen groß geworden sind und man sie auf Bälle geführt hat. Ich kenne alle Demütigungen meiner Martine und ihre wunderlichsten Träume. Ich kenne die Onkel, die Tanten, die Vettern, aber was ich vor allem kenne, mein Richter, ist ihr Gesicht, das sich beim Sprechen veränderte.

»Hör mal, Geliebte...«

Sie zuckte immer zusammen, wenn sie merkte, daß ich ihr eine Neuigkeit mitteilen wollte, so wie meine Mutter nie ein Telegramm geöffnet hat, ohne daß sie am ganzen Leibe zitterte. Vor den Schlägen fürchtete sie sich nicht, aber das Unbekannte erschreckte sie, weil das Unbekannte für sie immer etwas Unangenehmes gewesen war. Sie blickte mich dann mit einer Beklommenheit an, die sie zu verbergen versuchte. Sie wußte, daß die Angst ihr verboten war, das gehörte zu unseren Tabus.

»Wir werden ein paar Tage Urlaub nehmen...«

Sie ist blaß geworden. Sie hat an Armande und an meine Töchter gedacht. Vom ersten Tag an hat sie gefürchtet, ich könnte Heimweh nach La Roche und den Meinen haben.

Ich lächelte, ganz stolz auf meinen Einfall.

»Wir werden ihn in deiner Heimatstadt, in Lüttich, verbringen.«

Wir sind dorthin gefahren, wie zwei Pilger, und ich hatte außerdem die Hoffnung, dort endgültig einen guten Teil meiner Hirngespinste loszuwerden.

Ich will noch offener sein: es verlangte mich, von ihrer Kindheit Besitz zu nehmen, denn ich war auch auf ihre Kindheit eifersüchtig.

Diese Reise hat sie mir noch menschlicher und darum teurer gemacht.

Man sagt:

»Ich bin in der und der Stadt geboren, meine Eltern taten dies und das...«

Alles, was sie mir erzählt hatte, war wie aus einem Roman für junge Mädchen. Und ich wollte die Wahrheit entdekken, die aber gar nicht so anders war. Ich habe das große Haus in der Rue Hors-Château gesehen, das sie mir so oft beschrieben hatte, und die Treppe mit dem schmiedeeisernen Geländer.

Ich habe die Leute fast mit den gleichen Worten von ihrer Familie sprechen hören, die sie benutzte. Eine alte, fast patrizische Familie, mit der es allmählich bergab gegangen war.

Ich habe mir sogar das Büro ihres Vaters angesehen, der, ehe er starb, Sekretär der Provinzialregierung war.

Ich habe ihre Mutter, ihre beiden verheirateten Schwestern und die Kinder der einen gesehen.

Ich habe die Straßen gesehen, durch die sie gegangen war, eine Schulmappe unterm Arm, die Schaufenster, an die sie ihre vom Wind gerötete Nase gepreßt hatte, das Kino, in dem sie ihren ersten Film gesehen hatte, und die Konditorei, in der man den Kuchen für den Sonntag kaufte.

Ich habe ihr Klassenzimmer gesehen und mit den Nonnen gesprochen, die sich noch an sie erinnerten.

Mir ist vieles klarer geworden. Ich habe vor allem erkannt, daß sie mich nicht getäuscht, daß sie nicht gelogen hatte.

Dennoch, selbst in Lüttich, mein Richter, bin ich meine Hirngespinste nicht losgeworden. Irgendwo in einem Café im Stadtzentrum, wo wir der Musik lauschten, ist ein junger Mann heiter auf sie zugekommen und hat sie mit ihrem Vornamen angesprochen.

Das hat genügt.

Je mehr sie mir gehörte, je würdiger ich sie fand, mir zu gehören, desto mehr verlangte es mich, daß sie ganz mit mir verschmolz.

So wie auch ich ganz mit ihr verschmelzen wollte.

Ich bin auf ihre Mutter eifersüchtig gewesen, auf ihren kleinen neunjährigen Neffen, auf einen alten Bonbonhändler, zu dem wir gegangen sind. Er hatte sie als Kind gekannt und erinnerte sich noch daran, welche Bonbons sie am liebsten aß. Trotzdem hat er mir eine kleine Freude gemacht, als er sie nach kurzem Zögern Frau Martine nannte.

Der Frühling ist vergangen. Der Sommer ist gekommen. Auf den Plätzen in Paris haben immer wieder andere Blumen geblüht. Unser düsterer Vorort ist heller geworden. Jungen und Männer in Badehosen lagen an den Ufern der Seine.

Ihr Körper war bald ebenso gehorsam geworden wie ihr Geist. Wir hatten die Etappe des Schweigens erreicht. Wir haben nebeneinander in unserem Bett liegend lesen können.

Mutig und vorsichtig sind wir durch gewisse verbotene Viertel gegangen.

»Du wirst sehen, Martine, es kommt ein Tag, da es kein Gespenst mehr gibt.«

Die Gespenster stellten sich jetzt seltener ein. Wir sind beide nach Sables-d'Olonne gefahren, um meine Töchter zu sehen, die mit Armande dort ihre Ferien verbrachten. Martine wartete auf mich im Wagen.

Als Armande durch das offene Fenster blickte, sagte sie:

»Bist du nicht allein gekommen?«

»Nein.«

»Deine Töchter sind am Strand.«

»Ich werde zu ihnen gehen.«

»Mit ihr?«

»Ja.«

Und als ich es ablehnte, bei ihr zu Mittag zu essen:

»Ist sie eifersüchtig?«

War es nicht besser zu schweigen? Ich habe geschwiegen.

»Bist du glücklich?«

Sie hat melancholisch den Kopf geschüttelt und geseufzt:

»Endlich . . .«

Wie konnte ich ihr begreiflich machen, daß man glücklich sein und gleichzeitig leiden kann? Sind das nicht zwei Worte, die sich ganz natürlich ergänzen, und hatte ich jemals gelitten, wirklich gelitten, ehe Martine mir das Glück offenbarte?

Als ich Armande verließ, hätte ich fast laut gesagt:

»Ich werde sie töten.«

Damit sie mich noch weniger verstände. Als ob ich mich rächen wollte.

Wir, Martine und ich, haben mit meinen Töchtern geschwatzt. Ich habe Mama gesehen, die im Sand saß und strickte. Mama war sehr nett. Sie hat keine Anspielung gemacht. Als wir uns verabschiedeten, hat sie Martine die Hand gereicht und freundlich gesagt:

»Auf Wiedersehen, Fräulein Martine . . .«

Auch sie hätte, möchte ich schwören, fast Frau gesagt. Aber sie hat es nicht gewagt.

Aus ihren Blicken, die sie mir, wie es ihre Gewohnheit war, verstohlen zuwarf, sprach kein Vorwurf, nur eine leise Angst. Und dennoch war ich glücklich. Ich bin nie in meinem Leben so glücklich gewesen.

Martine und ich waren so glücklich, daß wir am liebsten laut gejubelt hätten.

*

Es war der 3. September, ein Sonntag. Ich weiß, wie Ihnen vor diesem Datum graut.

Das Wetter war feuchtwarm, erinnern Sie sich? Es war nicht mehr Sommer, aber es war auch noch nicht Winter.

Mehrere Tage lang war der Himmel grau gewesen, ein zugleich trübes und leuchtendes Grau, das mich immer traurig gemacht hat. Vor allem in den armen Vororten wie den unseren waren viele Leute schon aus den Ferien zurückgekehrt, falls sie überhaupt weggewesen waren. Wir hatten seit ein paar Tagen ein Mädchen, das direkt vom Lande kam. Sie war sechzehn Jahre alt, hatte noch unentwickelte Formen und sah wie eine große Stoffpuppe aus. Ihre Haut war rot und glänzend, und in ihrem rosa Kleid, mit ihren nackten Beinen, ihren in Sandalen steckenden bloßen Füßen, ihrem immer zerzausten Haar wirkte sie, als ob sie in unserer kleinen Wohnung, wo sie immer gegen die Möbel stieß, Kühe melken wollte.

Ich halte es morgens nie lange im Bett aus. Ich bin leise aufgestanden, und Martine hat die Arme ausgestreckt und wie einst zu ihrem Vater gesagt, ohne die Augen aufzuschlagen:

»Hab mich lieb . . .«

Das bedeutete, daß ich sie so heftig an meine Brust pressen mußte, daß sie fast erstickte. Dann war sie zufrieden.

Ein Sonntagmorgen glich bei uns dem anderen. Es war nicht meiner, sondern Martines. Sie war ein kleines Stadtmädchen, während der Bauer, der ich war, sich immer mit der Sonne erhoben hatte.

Das schlimmste Marterinstrument war in ihren Augen der Wecker mit seinem brutalen, schrillen Klingeln.

»Schon als ich ganz klein war und aufstehen mußte, um in die Schule zu gehen . . .«

Später hatte sie aufstehen müssen, um sich zur Arbeit zu begeben. Sie wandte kleine Tricks an, sie stellte den Wecker absichtlich zehn Minuten vor, um noch ein wenig im Bett liegen bleiben zu können.

In jenen letzten Monaten aber ist sie jeden Morgen vor mir aufgestanden, um mir meine erste Tasse Kaffee ans Bett zu bringen. Ich hatte ihr nämlich erzählt, meine Mutter habe das stets getan.

Dennoch war sie kein Morgenmensch. Es dauerte immer lange, wenn sie aufgestanden war, bis sie sich wieder ins Leben zurückgefunden hatte. Es amüsierte mich, sie mit unsicheren Schritten und noch ganz verschlafenem Gesicht im Pyjama hin und her gehen zu sehen. Manchmal mußte ich laut darüber lachen.

»Was hast du?«

Jeden Sonntag bot ich ihr, was sie den ›idealen Vormittag‹ nannte. Sie stand spät auf, um zehn Uhr, und ich brachte ihr ihren Kaffee. Sie trank ihn im Bett und steckte sich ihre erste Zigarette an, denn das ist das einzige, das ihr zu verbieten, ich nicht den Mut gehabt habe. Sie hätte ohne Murren darauf verzichtet. Zumindest hatte sie nicht mehr das unwiderstehliche Verlangen, in einem fort zu rauchen.

Sie stellte den Rundfunk an, und viel später fragte sie schließlich:

»Wie ist das Wetter?«

Wir machten nie Pläne für den Sonntag, überließen alles dem Zufall. Und es kam vor, daß wir überhaupt nichts taten.

Ich erinnere mich, daß ich an jenem Sonntag eine lange Weile am Wohnzimmerfenster gelehnt habe. Ich sehe noch die Familie vor mir, die auf die Straßenbahn wartete und deren Mitglieder alle, vom größten bis zum kleinsten — es waren mindestens sieben, Vater und Mutter, Jungen und Mädchen — Angelstöcke trugen.

Eine Blaskapelle zog hinter einer goldgestickten Fahne durch die Straße.

In den Häusern gegenüber blickten ebenfalls Leute aus den Fenstern, und ich hörte Rundfunkmusik.

Als ich kurz vor zehn Uhr hinuntergegangen bin, war sie noch nicht aufgestanden. Ausnahmsweise hatte ich einen meiner Patienten bestellt, dessen Behandlung fast eine Stunde beanspruchte und für die ich in der Woche nie die Zeit hatte. Es war ein Meister von etwa fünfzig Jahren, ein braver, äußerst gewissenhafter Mann.

Er erwartete mich vor der Tür. Wir sind in mein Sprechzimmer gegangen, und er hat sich ausgezogen. Ich habe
mir die Hände gewaschen und meinen Kittel übergestreift.
Es war ein so friedlicher Morgen, daß man meinen konnte, das Leben stehe still.

Lag es an der Farbe des Himmels? Es war einer jener
Tage, mein Richter — es sind immer Sonntage —, an denen man es fertigbringt, an nichts zu denken.

Und ich dachte an nichts. Mein Patient sprach mit eintö-
niger Stimme, um sich Mut zu machen, denn die Behandlung war ziemlich schmerzhaft, und bisweilen verstummte er, unterdrückte, so gut es ging, ein Stöhnen und beeilte
sich dann zu sagen:

»Es ist nichts, Herr Doktor... Machen Sie nur weiter...«

Er hat sich wieder angezogen, wir sind zusammen hinausgegangen, und ich habe die Tür meines Wartezimmers ab-
geschlossen. Ich habe hinaufgeblickt, um zu sehen, ob Martine nicht zufällig am Fenster war. Ich bin bis zur Straßenecke gegangen, um die Zeitung zu kaufen, die man in
einer kleinen Bar bekam. Da ich noch einen Geschmack von
Medikamenten im Munde hatte, habe ich an der Theke
einen Wermut getrunken.

Ich bin langsam nach Hause gegangen. Ich habe die Tür
geöffnet. War ich leiser als sonst? Martine und das Mädchen, die Elise hieß, waren beide in der Küche und lachten
schallend.

Ich habe gelächelt. Ich war glücklich. Ich bin näher heran
gegangen, so daß ich sie sehen konnte. Elise putzte am
Spülstein stehend Gemüse, und Martine saß am Tisch.
Sie hatte die Ellbogen aufgestützt, eine Zigarette im Mund,
einen Morgenrock über den Schultern und war noch un-
gekämmt. Ich habe selten solche Zärtlichkeit für sie gefühlt. Ich hatte gerade eine Seite von ihr entdeckt, die ich
noch nicht kannte und die mich entzückte.

Ich mag Leute gern, die mit den Mädchen zu scherzen
verstehen, vor allem mit kleinen Bäuerinnen wie Elise.
Und ich merkte, sie tat es nicht aus Herablassung, wie das

manche Damen tun. Ihre Stimmen und ihr Lachen hatten es mir verraten.

Während ich unten war, hatten sie sich wie zwei Kinder gefunden und geschwatzt.

Worüber? Ich weiß es nicht. Ich habe nicht versucht, es zu erfahren. Sie haben über dummes Zeug gelacht, ich bin dessen sicher, über Dinge, die ein Mann nie verstehen kann.

Sie war ganz verlegen, als sie mich plötzlich sah.

»Hast du zugehört? Elise und ich haben uns Geschichten erzählt... Was hast du?«

»Nichts.«

»Doch... Du hast etwas... Komm...«

Sie erhob sich beunruhigt und zog mich in unser Schlafzimmer.

»Bist du ärgerlich?«

»Aber nein...«

»Bist du traurig?«

»Ich schwöre dir...«

Weder das eine noch das andere. Ich war gerührt, töricht gerührt vielleicht. Ich war viel gerührter, als ich es mir anmerken lassen und zugeben wollte.

Noch jetzt fällt es mir schwer, genau zu sagen, warum. Vielleicht weil ich an jenem Morgen, ohne es zu wissen, ja ohne einen klaren Grund, gespürt habe, daß ich den Höhepunkt meiner Liebe erreicht hatte, den Höhepunkt des Verstehens zwischen zwei Menschen.

Ich hatte so stark das Gefühl, sie verstanden zu haben. Das Mädchen, das da in der Küche mit unserer kleinen Bäuerin lachte, war so frisch und so rein...

Und da hat sich heimtückisch ein anderes Gefühl bei mir eingeschlichen, ein vages Heimweh, das ich, ach so gut, kannte und das ich sofort hätte verscheuchen müssen.

Auch sie hatte verstanden. Darum hatte sie mich in das Schlafzimmer gezogen. Darum wartete sie.

Sie wartete, daß ich sie schlüge. Es wäre besser gewesen. Aber seit einigen Wochen hatte ich mir geschworen, mich nicht mehr zu meinen niederträchtigen Wutanfällen hinreißen zu lassen.

Erst vor wenigen Tagen, am Mittwoch, als wir Arm in Arm aus unserem Kino im Viertel zurückkamen, hatte ich nicht ohne Stolz zu ihr gesagt:

»Siehst du ... jetzt sind es schon drei Wochen ...«

»Ja ...«

Sie wußte, wovon ich sprach. Aber sie war nicht so optimistisch wie ich.

»Im Anfang geschah das alle vier oder fünf Tage — dann alle Woche — dann alle zwei Wochen ...«

Ich scherzte.

»Wenn es nur noch alle sechs Monate sein wird ...«

Sie hatte ihre Hüfte noch mehr an die meine gepreßt. Wir liebten es, abends, wenn die Straßen leer waren, so dicht Seite an Seite zu gehen, als ob wir ein Körper wären.

Ich habe sie an jenem Sonntag nicht geschlagen, weil ich zu gerührt war, weil die Gespenster mich nicht bedrängten.

»Bist du mir böse, daß ich noch nicht angezogen bin?«

»Aber nein ...«

Es war überhaupt nichts. Warum beunruhigte sie sich also? Sie ist den ganzen Tag beklommen gewesen. Wir haben am offenen Fenster zu Mittag gegessen.

»Was würdest du gern unternehmen?«

»Ich weiß es nicht. Was du willst.«

»Würde es dir Spaß machen, den Zoo in Vincennes zu besuchen?«

Sie war noch nie dort gewesen. Sie kannte die Tiere nur vom Zirkus.

Wir sind hingefahren. Der gleiche leuchtende Schleier spannte sich noch immer über den Himmel, ein Licht, das keinen Schatten warf. In dem Zoo waren viele Leute. An jeder Ecke standen Händler, die Kuchen, Eis, Erdnüsse verkauften. Wir blieben lange vor den Käfigen stehen, vor dem Bärengraben, vor dem Affenhaus.

»Sieh mal, Charles ...«

Und ich sehe sie wieder, zwei Schimpansen, Männchen und Weibchen, die sich engumschlungen hielten und die Menge fast so anblickten, mein Richter, wie ich die Leute in der Gerichtsverhandlung angeblickt habe.

Es war das Männchen, das mit einer zugleich sanften und schützenden Gebärde das Weibchen mit seinem langen Arm an sich preßte.

»Charles...«

»Ja, ich weiß.«

Fast genau in dieser Stellung schliefen wir jede Nacht, nicht wahr, Martine? Wir waren zwar nicht in einem Käfig, aber wir hatten vielleicht auch Angst vor dem, was hinter unseren unsichtbaren Gitterstäben war, und ich drückte dich an mich, um dich zu beruhigen.

Ich war plötzlich traurig. Es kam mir vor... Ich sehe wieder diese wimmelnde Menge im Zoo, die Tausende von Familien, die Kinder, denen man Schokolade oder rote Ballons kaufte, die Banden lärmender junger Leute, die Verliebten, die von den Beeten Blumen stibitzten. Ich höre noch das dumpfe Getrappel der Menge, und ich sehe uns beide, ich fühle uns beide, die Kehle ist mir wie zugeschnürt, ohne daß ich sagen könnte, warum, während sie murmelt:

»Laß sie uns noch einmal ansehen.«

Die beiden Affen, unsere beiden Affen.

Wir sind wieder durch den Staub gegangen, dessen Geschmack wir schließlich im Munde spürten. Dann sind wir in unseren Wagen gestiegen, und ich habe gedacht:

»Wenn...«

Wenn sie nur die gewesen wäre, mein Richter, immer nur die gewesen wäre, die ich am Morgen überrascht hatte! Wenn wir beide nur wie dieses Affenpärchen gewesen wären, das wir, ohne es uns zu gestehen, beneideten...

»Willst du zu Hause essen?«

»Wie du willst. Elise ist ausgegangen, aber es ist etwas zu essen da.«

Ich habe lieber im Restaurant gegessen. Ich war verkrampft

und unruhig. Ich spürte, die Gespenster waren da, ganz nahe und warteten auf die Gelegenheit, mir an die Kehle zu springen.

Ich habe gesagt:

»Was hast du sonntags gemacht?«

Sie wußte gleich, von welcher Zeit ihres Lebens ich sprach. Sie stammelte:

»Ich langweilte mich...«

Aber das war nicht wahr. Sie langweilte sich vielleicht tief in ihrem Inneren, aber sie wollte sich durchaus amüsieren, irgendwo...

Ich bin vor Ende des Essens vom Tisch aufgestanden. Es wurde allmählich dunkel, zu allmählich nach meinem Geschmack.

»Gehen wir nach Hause...«

Ich habe mich ans Steuer gesetzt. Während der ganzen Fahrt habe ich kein Wort mit ihr gesprochen. Ich sagte mir immer wieder:

›Es darf nicht sein...‹

Und es waren wieder die Schläge, an die ich dachte.

›Sie hat das nicht verdient... Sie ist ein armes kleines Mädchen... Ja, ja, ich weiß! Wer könnte es besser wissen als ich? Wer?‹

Als wir in Issy einfuhren, habe ich meine Hand auf ihre gelegt. »Hab keine Angst...«

»Ich habe keine Angst...«

Ich hätte sie schlagen sollen. Noch war es Zeit.

Als ich den Schlüssel ins Schloß steckte, war ich nahe daran zu sagen:

»Gehen wir nicht hinein...«

Und dennoch wußte ich nichts. Ich sah nichts voraus. Ich hatte sie nie so geliebt. Es war nicht möglich, verstehen Sie, um der Liebe Gottes willen, verstehen Sie mich, daß sie...

Ich habe die Tür aufgestoßen, und sie ist hineingegangen. Und in diesem Augenblick war alles entschieden. Ein paar Sekunden lang hätte ich noch umkehren können. Auch sie hatte Zeit gehabt, ihrem Schicksal zu entgehen, mir zu entgehen.

Ich sehe wieder ihren Nacken vor mir, in dem Augenblick, da ich den elektrischen Schalter gedreht habe, ihren Nacken mit den dünnen Härchen wie damals in Nantes.

»Gehst du gleich schlafen?«

Ich habe genickt.

Was war nur an diesem Abend, und warum war uns das Herz so schwer?

Ich habe ihr Milch in ein Glas gegossen. Jeden Abend trank sie im Bett nach dem Liebesakt ein Glas Milch.

Sie hat es auch an diesem Abend getrunken. Ich hatte sie nicht geschlagen. Ich hatte die Gespenster verscheucht.

»Gute Nacht, Charles...«

»Gute Nacht, Martine...«

Wir haben das zwei- oder dreimal gesagt, in einem besonderen Ton, wie eine Beschwörung.

»Gute Nacht, Charles...«

»Gute Nacht, Martine...«

Ihr Kopf hatte seinen Platz in der Höhlung meiner Schulter gesucht, und sie hat einen Seufzer ausgestoßen, ihren allabendlichen Seufzer, und wie jeden Abend, bevor sie einschlief, gestammelt:

»Das ist nicht christlich...«

Da sind die Gespenster gekommen, die scheußlichsten, die gemeinsten, und es war zu spät — sie wußten es, daß ich sie abwehrte.

Martine war eingeschlafen. Oder aber sie tat, als ob sie schliefe, um mich zu beruhigen.

Meine Hand ist langsam an ihrer Hüfte hinaufgeglitten, hat die sanfte Haut gestreichelt, ihre so sanfte Haut, hat ihre feste Brust berührt, ist dort einen Augenblick liegen geblieben.

Bilder. Immer wieder Bilder, andere Hände, andere Liebkosungen...

Die Rundung der Schulter, wo die Haut am glattesten ist, dann eine warme Höhlung, der Hals...

Ich wußte genau, daß es zu spät war. All die Gespenster waren da, die andere Martine war da, die, die sie beschmutzt hatten, und du, die sich beschmutzt hatte...

Sollte meine Martine, jene, die noch am Morgen so unschuldig mit dem Mädchen gelacht hatte, ewig darunter leiden? Sollten wir beide bis ans Ende unserer Tage leiden?

Mußten wir uns nicht befreien? Mußte ich sie nicht von allen ihren Ängsten, all ihrer Schande befreien?

Es war nicht dunkel. Es war nie dunkel in unserem Schlafzimmer in Issy, weil vor dem Fenster nur eine cremefarbene Gardine hing und genau gegenüber eine Gaslaterne stand.

Ich konnte sie sehen. Ich sah sie. Ich sah meine Hand, die sich um ihren Hals legte, und ich habe brutal zugedrückt, mein Richter. Ich habe gesehen, wie sie die Augen aufschlug, ich habe ihren ersten Blick gesehen, der ein Blick des Entsetzens war, und gleich darauf den anderen, einen Blick der Ergebung und Erlösung, einen Blick der Liebe.

Ich habe zugedrückt. Es waren meine Finger, die zudrückten. Ich konnte nicht anders. Ich habe gerufen:

»Vergib mir, Martine...«

Und ich spürte deutlich, daß sie mich ermunterte, daß sie es wollte, daß sie von Anfang an diese Minute vorausgesehen hatte, daß es das einzige Mittel war, von allem befreit zu werden.

Ich mußte die andere ein für allemal töten, damit meine Martine endlich leben konnte.

Ich habe die andere getötet. Mit vollem Bewußtsein. Sie sehen, ich habe es vorsätzlich getan, ich mußte es vorsätzlich tun, sonst wäre es eine Wahnsinnstat.

Ich habe sie getötet, damit sie lebte, und bis zum Ende blickten wir uns an.

Bis zum Ende, mein Richter. Danach hat meine Hand noch lange ihren Hals umklammert.

Ich habe ihre Augen geschlossen. Ich bin taumelnd aufgestanden, und ich weiß nicht, was ich getan hätte, wenn ich nicht gehört hätte, daß sich ein Schlüssel im Schloß drehte. Es war Elise, die nach Hause kam.

Sie haben ihre Aussage vorm Schwurgericht und in Ihrem Arbeitszimmer gehört. Sie hat nur immer wiederholt:

»Der Herr war sehr ruhig, aber er wirkte nicht wie ein normaler Mensch...«

Ich habe zu ihr gesagt:

»Holen Sie die Polizei...«

Ich habe nicht an das Telefon gedacht. Auf dem Bettrand sitzend, habe ich lange gewartet.

Und in diesen Minuten ist mir eins klar geworden: daß ich leben mußte, weil, solange ich lebte, meine Martine leben würde. Sie war in mir. Ich trug sie, wie sie mich getragen hatte. Die andere war endgültig tot. Aber solange ein Mensch, ich, da sein würde, um die wirkliche Martine zu bewahren, würde die wirkliche Martine weiterleben.

Habe ich nicht darum die andere getötet?

Darum, mein Richter, bin ich am Leben geblieben, darum habe ich den Prozeß über mich ergehen lassen, darum habe ich nicht Ihr Mitleid gewollt, weder das Ihre noch das der anderen, noch all die Tricks, mit denen man meine Freisprechung hätte erwirken können. Darum will ich nicht für verrückt oder unzurechnungsfähig erklärt werden. Um Martines willen.

Um der wahren Martine willen.

Damit ich sie wirklich erlöst habe. Damit unsere Liebe weiterlebt, und sie kann nur noch in mir leben.

Ich bin nicht verrückt. Ich bin nur ein Mann, ein Mann wie die anderen, aber ein Mann, der geliebt hat und der weiß, was Liebe ist.

Ich werde in ihr, mit ihr, für sie leben, so lange mir das möglich sein wird.

Und ich habe mir nur darum diese Frist gesetzt, ich habe mir nur darum diesen Zirkus, der der Prozeß gewesen ist, auferlegt, weil sie um jeden Preis in jemandem weiterleben muß.

Ich habe Ihnen diesen langen Brief geschrieben, damit an dem Tage, da ich sterbe, jemand unser Erbe übernimmt und so Martine und ihre Liebe nie ganz sterben.
Wir sind so weit gegangen wie möglich. Wir haben alles getan, was wir konnten.
Wir haben die vollkommene Liebe gewollt.
Leben Sie wohl, mein Richter.

ELFTES KAPITEL

An dem gleichen Tage, an dem der Untersuchungsrichter Coméliau, Paris, Rue de Seine 23, diesen Brief erhielt, meldeten die Zeitungen, daß Dr. Charles Alavoine, geboren in Bourgneuf in der Vendée unter geheimnisvollen Umständen im Gefängnislazarett Selbstmord verübt habe.

»Seiner Vergangenheit und seines Berufes wegen und weil er sehr ruhig, und, wie der Chefarzt des Gefängnislazarettes sagt, immer heiter war, ließ man ihn manchmal einige Augenblicke im Ordinationszimmer, in dem er behandelt wurde, allein.
Er hat so den Giftschrank öffnen und sich vergiften können.
Eine Untersuchung ist eingeleitet worden.«

SIMENON-KRIMINALROMANE

Bisher erschienen

GEORGES SIMENON

Das Begräbnis des Herrn Bouvet

Die Zeugen

Die Brüder Rico

Romane. Je 160 Seiten. Leinen.

Ein Toter, der nicht begraben werden kann, weil niemand weiß, wer er eigentlich ist, ein Mensch, der hinter vielen Masken lebte und sein Leben zu einem Rätsel machte, das ist Monsieur Bouvet. – In wie weit hängt die Freiheit eines des Mordes unschuldig Angeklagten von Zeugenaussagen ab? – Drei Brüder, in der Hand einer mächtigen amerikanischen Gangsterorganisation, die ihr Leben nur retten können, wenn sie das des andern opfern. – Das sind die Stoffe und Konflikte, die Simenon in diesen Romanen aufgreift. Keine Phantasieprodukte, sondern scharf beobachtete Wirklichkeit. Es ist bestürzend, wie Simenon das Geflecht aus scheinbaren Zufällen, äußeren Zwängen und verborgener Dämonie enthüllt, aus dem das Verbrechen entsteht.